MW00620452

MADRID - MÉXICO - BUENOS AIRES - SAN JUAN - SANTIAGO

JOSÉ LESTA

EL ENIGMA NAZI

El secreto esotérico del III Reich

EL ARCHIVO DEL MISTERIO
DE IKER JIMÉNEZ

Director de la colección:
IKER JIMÉNEZ

Editorial EDAF, S. A.
Jorge Juan, 30. 28001 Madrid
http://www.edaf.net
edaf@edaf.net

Edaf y Morales, S. A.
Oriente, 180, nº 279. Colonia Moctezuma, 2da. Sec.
C. P. 15530. México, D. F.
http://www.edaf-y-morales.com.mx
edafmorales@edaf.net

Edaf del Plata, S. A.
Chile, 2222
1227 - Buenos Aires, Argentina
edafdelplata@edaf.net

Edaf Antillas, Inc
Av. J. T. Piñero, 1594 - Caparra Terrace (00921-1413)
San Juan, Puerto Rico
edafantillas@edaf.net

Edaf Chile, S.A.
Huérfanos, 1178 - Of. 506
Santiago - Chile
edafchile@edaf.net

8.ª edición, enero 2006

Depósito legal: M-3.555-2005
ISBN: 84-414-1335-5

PRINTED IN SPAIN IMPRESO EN ESPAÑA
Gráficas COFAS, S.A. - Pol. Ind. Prado de Regordoño - Móstoles (Madrid)

A Luisa Mosquera

Agradecimientos

A Miguel, por compartir los 300.000 kilómetros que ya hemos dejado atrás plagados de aventuras y desventuras. A los míos, Ramiro, Ana y Marina, por aguantarme antes, durante y después de la redacción del libro. A Manuel Carballal, por su amistad y constante apoyo en este errático mundillo. A Marcelino Requejo, que nos abrió pistas insospechadas en esta investigación. A José María Navarro, cuyos enormes conocimientos y largas charlas sobre tecnología militar aeronáutica me sirvieron para responder a múltiples interrogantes. A Iker Jiménez, por la oportunidad. Y, en general, a todos los que de alguna u otra manera, incluso indirectamente y sin saberlo, han contribuido al libro.

Índice

¿Por qué publicamos este libro?

¿Por qué no tratáis el tema del esoterismo nazi? ¿Cómo no tocáis el asunto de los ovnis del III Reich? ¿Haréis pronto un especial sobre los conocimientos esotéricos de Hitler?*

Nunca imaginé que las preguntas de este tipo se fuesen a repetir con tal asiduidad a través de la red con destino a la redacción de nuestro programa *Milenio3* en la Cadena SER. Durante un año entero han ido llegando centenares de comunicaciones de los oyentes, cada uno un mundo, de distintas edades, profesiones y mentalidades, que sentían la misma y repentina atracción por esa área oscura de la historia reciente sobre la que se han tejido innumerables leyendas.

Siendo sincero he de confesar que, cuando podía, respondía brevemente a cada uno de esos mensajes con un lacónico «pronto trataremos el asunto» sin acabar de convencerme y sin comprender cómo y por qué las SS y sus proyectos secretos relativos al ocultismo y el esoterismo fascinaban tanto a un amplísimo sector del público.

Capeando el temporal, y ya casi con el asunto olvidado, una fría mañana en una población cercana a Madrid, un sacerdote que acababa de conocer —que vivió en el Vaticano tres años, que trabajó en Radio Vaticano y que paseaba por sus míticos archivos como Pedro por su casa— añadió a nuestra larga conversación otra pregunta que vino a sumar enteros a mi intriga:

¿Sabías que Adolf Hitler planeó un robo en el Vaticano en busca de la reliquia de la supuesta lanza que atravesó el costado de Jesús?

Enmudecí.

¿Y sabías —prosiguió mi sabio contertulio— *que cambió y retrasó todo tipo de planes y estrategias arriesgando la vida de miles de personas en la delirante idea de conseguir ese objeto que creía que le otorgaría un poder sobrenatural infinito?*

Efectivamente, y tras no pocas conversaciones como esa, pude saber que en una dependencia secreta de la Iglesia de San Pedro se custodiaron durante la Segunda Guerra Mundial tres objetos de poder que las garras de la esvástica pretendían a toda costa. Una era el trozo de la llamada Vera Cruz, otra el pañuelo de la Verónica donde limpiaron la sangre de Cristo y la tercera, la oxidada Lanza de Longinos con la que se perforó el pericardio de aquel hombre en el año 33 de nuestra era.

Hitler, emperador de las sombras, fanático de la simbología y obsesionado hasta la médula con la magia y lo inexplicable, necesitaba a toda costa aquellos elementos sagrados. Sabía muy bien lo que hacía. Su reacción y fervor era el mismo que le impulsó a organizar modernas cruzadas en busca del Grial por medio mundo..., o el que le obligó a ordenar a cientos de hombres atravesando las frías nieves del Tíbet al encuentro de la ciudad eterna de Shambhala.

Según descubre ahora la Historia, para que la derrota no se le escapase procuró seguir la pista del Arca de la Alianza, y utilizó la mejor tecnología y mecánica del momento con el fin de construir verdaderos platillos volantes que surcaban el cielo sembrando de confusión y miedo a quienes los divisaban desde tierra firme.

Ahora, sesenta años después, José Lesta, un fenomenal investigador, metódico, riguroso y concienzudo hasta límites insospechados, ha realizado un trabajo que responde perfectamente a todas y cada una de las preguntas de los lectores, oyentes e incluso a las que yo mismo me he realizado durante estos últimos meses. Aborda con gran precisión mil y un detalles en torno a aquella auténtica orden siniestra del nazismo que aniquiló a millones de personas con su ansia de poder. De un poder que iba más allá de lo puramente militar, económico o político. De un poder que anhelaba la supremacía infinita, la trascendencia, el gobierno sobre el más allá..., la inmortalidad.

Las SS, el III Reich, Adolf Hitler y sus misterios, son material peligroso que pocas veces se han tratado con la valentía, documentación y apasionamiento periodístico del que este libro hace gala.

Así que estamos de enhorabuena todos los que queremos conocer el porqué de aquella aparente locura de destrucción y los que pretendemos adentrarnos en ese otro lado que los libros oficiales sobre la guerra y los concienzudos y eruditos ensayos jamás cuentan.

Esa parte oscura y misteriosa que, casi siempre, resulta ser la auténtica clave.

IKER JIMÉNEZ

Introducción

Sé que numerosos investigadores de lo heterodoxo se interesan vivamente por la enigmática trastienda del terrible movimiento político que asoló Europa y promovió la, hasta ahora, más nefasta guerra de la Historia. Siempre me ha sorprendido que solo se hayan preocupado y, salvo raras excepciones, no se hayan ocupado del mismo. Y eso es precisamente lo que aquí intentaremos, aunque sin entrar en datos demasiados complejos que el lector no pueda entender.

Sé que algunos lectores encontrarán escandaloso o incluso fantástico el contenido. Solo puedo decirles nuevamente que la mayor parte de los documentos, entrevistas, datos, e informaciones más increíbles he tenido que dejarlas a un lado. Tal vez porque no es posible comentarlos aquí y sería más propio para una novela histórica. El tiempo dirá qué hacer con ellos.

A pesar de todo he navegado en aguas difíciles. Por una parte, intentando contrastar los datos que hemos manejado en estos años de investigación sobre el tema, y por otro lado, adentrándome en las innumerables leyendas que se han forjado sobre ciertos asuntos y que confunden mito y realidad. Este trabajo aborda ambos, tanto documentos secretos desclasificados desde la Segunda Guerra Mundial hasta la mitología formada a partir de entonces.

Pasados ya sesenta años desde que se produjeran los acontecimientos, es más que evidente que existía un entramado subterráneo de carácter esotérico. Esa central alimentaba el movimiento nazi. He intentado acercarme, sin éxito hasta ahora, a los miles de documentos secretos que se guardan sobre el régimen ocultista nazi *(Ahnenerbe)*, tanto en Rusia como en EE.UU. El solo hecho de que no se den a conocer en todo este tiempo es prueba más que suficiente de la existencia de ese movimiento casi religioso que se mantuvo oculto para millones de alemanes durante la locura nazi.

Pero también me adentro en aspectos novedosos, intentando explicar cómo es posible que en poco más de una década la ingeniería y la ciencia alemana al servicio de una ideología deformada, lograra adelantos que los expertos actuales consideran casi milagrosos. Hay que pensar que, nos guste o no, la mayor parte de los avances tecnológicos modernos los realizaron científicos de la Segunda Guerra Mundial. Muchos de ellos alemanes.

Hasta tal punto se desarrolló la tecnología que los historiadores de la ciencia militar están de acuerdo en que el equipamiento experimental del ejército alemán en los últimos días de la guerra podría hacer frente, hoy en día, a la mayor parte de los ejércitos modernos conocidos. El hecho de que muchos de los premios Nobel y los cerebros científicos del momento se encontraran en Alemania no explica suficientemente ese éxito. El megalómano proyecto político nazi promovió ideas científicas delirantes de todo tipo, generando un caldo de cultivo creativo que concibió miles de inventos y patentes.

La aparición incesante de increíbles aparatos de todo tipo como los aviones de reacción, misiles teledirigidos o fusiles cuyas balas doblaban las esquinas, hizo que las tropas en la línea de fuego depositaran más fe en los científicos y técnicos de retaguardia que en sus propios generales. La paranoia llegó a tal punto que en los días finales, todos (ancianos, jóvenes, militares e incluso el propio Hitler) llegaron a creer que un arma milagrosa cambiaría, de un solo golpe, el rumbo de la contienda. Afortunadamente nada de eso sucedió. El gasto multimillonario en miles de proyectos científicos novedosos acabó económicamente con el propio régimen nazi.

La conjunción del misterioso aspecto esotérico del régimen nazi y la increíble aceleración de su tecnología militar al final de la guerra fueron el combustible que generó multitud de leyendas tras acabar la contienda. Nazis fugados a inhóspitos parajes en increíbles submarinos y aparatos bélicos formaron parte de una mitología en la que es difícil separar realidad y ficción. Nos adentraremos también en ese laberinto, siguiendo el rastro y las sólidas pistas del dinero y los lingotes de oro nazi, tanto en Suiza como en toda Sudamérica.

Finalmente, es el lector el que debe posicionarse y decidir si todo lo mostrado en este trabajo es incierto, o por el contrario no nos han contado toda la verdad sobre los acontecimientos que conformaron la historia del siglo XX.

Capítulo 1

Las voces de Hitler

Sigo el camino que me marca la providencia
con la precisión y la seguridad de un sonámbulo.
ADOLF HITLER, 1933.

La noche y el duro invierno dejaban caer una copiosa nieve sobre el «nido de águilas», un gran refugio alpino situado en la cresta de una alta montaña en Bertchsgaden. Se podía adivinar la figura de un hombre asomado a unas interminables cristaleras. Un individuo ensimismado en sus pensamientos que llevaba un cómico bigotillo. Instantes después se apartó del ventanal para seguir compartiendo la velada con sus importantes amistades. Una de ellas le hizo un extraño comentario y, de inmediato, el hombre respondió enérgicamente: —Si cree usted que nuestro movimiento se reduce solo a un partido político... ¡es que no ha entendido nada!

No era la primera ni sería la última vez que Hermann Rauschning, jefe nazi del gobierno de Danzig, vio a Adolf Hitler expresarse en esos crípticos términos. Para muchos estudiosos e investigadores no queda duda, pasados ya casi sesenta años del final de la Segunda Guerra Mundial, que después de los acontecimientos históricos que estuvieron tras el intento de acceder al control mundial por parte del catastrófico régimen nazi, hay una trastienda donde la irracionalidad y la religión son las protagonistas. En esa visión del mundo; el ocultismo, la magia, antiguas sociedades secretas, las creencias en mitos ancestrales e incluso objetos, que según las más antiguas leyendas están revestidos de extraños poderes sobrenaturales, desempeñaron un papel primordial.

Sin ir más lejos, algunos dirigentes del bando aliado como el primer ministro británico Sir Winston Churchill, masón del grado 33 y afiliado desde su juventud a la GLU (Gran Logia Unida de Inglaterra) fue el primer interesado, tras los juicios de Nuremberg, en que «la gente jamás tuviera acceso al conocimiento oculto que se escondía tras el régimen nazi». Todos ellos conocieron bien ese entramado secreto.

Tal fue la importancia y la influencia de esas creencias que determinaron el resultado de la contienda e incluso afectaron, en el caso nazi, a campos tan racionales como el de la investigación científica. Lamentablemente todo ello provocó una espiral de locura y horror como nunca se ha visto, que barrió de la faz del planeta 50 millones de seres humanos y consumió en la hoguera de los crematorios a 6 millones de almas. Por eso creemos que se debe rascar en la superficie de esa guerra mágica y de las leyendas que circulan sobre ella, para intentar comprender lo sucedido. Pero como toda historia real, tiene un enigmático y misterioso comienzo allá por el mes de noviembre de 1908.

1.1. La visión del Freinberg

En esa época el joven Hitler vivía en Linz, un pueblo austriaco cercano a la frontera alemana. Ya desde su temprana juventud se había sentido atraído por las narraciones de las viejas leyendas alemanas. De muchacho no se cansaba nunca de escucharlas. Una y otra vez tomaba en sus manos la conocida obra de Gustav Schwab, que representa el legendario mundo de la antigua Historia alemana en una forma popular. Este libro era su lectura predilecta, hasta tal punto que, cuando estaba enfermo, se sumía con verdadera devoción en el mundo mítico y misterioso que la obra le había permitido descubrir.

Por supuesto, las óperas del compositor alemán Richard Wagner y el grandioso universo musical que generaba, totalmente asociado a antiguas leyendas nórdicas sobre el Santo Grial y otros temas mitológicos, como el anillo de los Nibelungos, no pasaban desapercibidos para el oscuro hijo del aduanero, aspirante entonces a arquitecto o pintor reconocido.

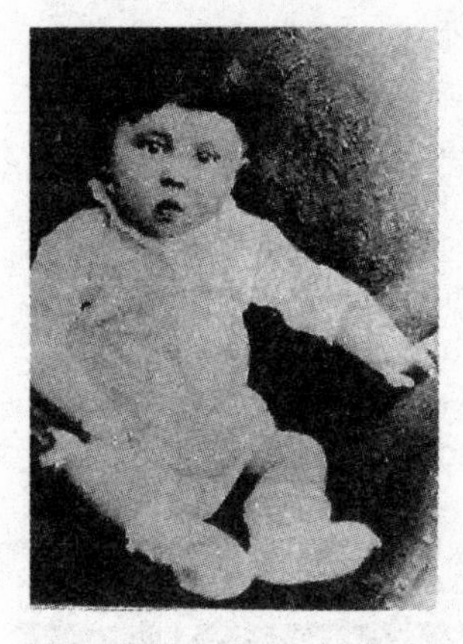

Una de las poquísimas fotos de la infancia de Adolf Hitler

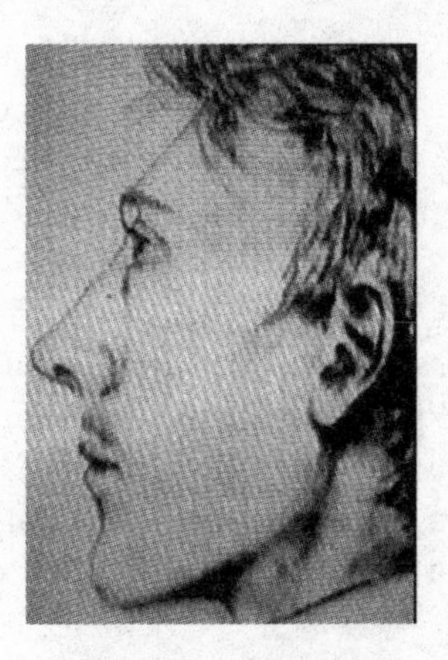

Retrato anónimo de Hitler en su juventud, mientras vivía en Linz.

Su único amigo de aquella época, August Kubizek, recordaría años después una fecha concreta de una desapacible tarde de noviembre...

> Adolfo me hizo con impaciencia una seña desde la calle, me estaba esperando con su abrigo negro y el sombrero oscuro hundido sobre la frente... era un atardecer frío en el que anochecía temprano... esa noche se representaba *Rienzi*, una ópera de Wagner que todavía no habíamos visto, lo que nos tenía en una gran tensión.

Horas después, en el atestado teatro, los dos amigos asistieron a la dramática representación. En ella se narraba cómo el pueblo de Roma era subyugado por la altiva y cínica nobleza; los hombres son obligados por esta a la servidumbre, las mujeres y doncellas son deshonradas y ultrajadas por los altivos nobles. Pero en un momento concreto, de entre la multitud surge Rienzi, un hombre del pueblo, sencillo y desconocido, el liberador de su torturada nación, y grita:

> Pero si oís la llamada de la trompeta
> resonando en su prolongado sonido,
> despertad entonces, acudid todos aquí:
> ¡Yo anuncio la libertad a los hijos de Roma!

La escena generó una honda impresión en los dos jóvenes y la tensión siguió en aumento cuando Rienzi, tras llegar al poder en Roma, es traicionado por sus propios seguidores que acaban asesinándolo. Conmovidos presenciaron la caída de Rienzi. Al final abandonaron en silencio el teatro siendo ya medianoche. Kubizek recuerda:

Las óperas del compositor alemán Richard Wagner influyeron decisivamente en la joven personalidad de Hitler.

Mi amigo caminaba por las calles, serio y encerrado en sí mismo, las manos profundamente hundidas en los bolsillos del abrigo, hacia las afueras de la ciudad. Esto me asombró. Le pregunté su parecer sobre la obra. Entonces Adolf me miró extrañado, casi con hostilidad.

La húmeda y helada niebla se extendía densa sobre las estrechas y desiertas callejuelas en medio de la noche. Los acelerados pasos resonaban extrañamente sobre el adoquinado. Tomamos un camino que pasaba por delante de las pequeñas casitas de los arrabales de la ciudad. Ensimismado, mi amigo caminaba delante mí. Todo esto me parecía casi inquietante. Adolf estaba más pálido que de costumbre. El cuello del abrigo levantado reforzaba aún más esta impresión. No había ya nadie a nuestro alrededor. La ciudad estaba sumida en la niebla... Como impulsado por un poder invisible ascendió hasta la cumbre del Freinberg (la cumbre más alta de la zona). Y ahora pude ver que no estábamos en la oscuridad, pues sobre nuestras cabezas brillaban las estrellas.

Adolf estaba frente a mí. Tomó mis dos manos y las sostuvo firmemente. Era este un gesto que no había conocido hasta entonces en él. En la presión de sus manos pude darme cuenta de lo profundo de su emoción. Sus ojos resplandecían de excitación. Las palabras no salían con la fluidez acostumbrada de su boca sino que sonaban rudas y roncas... Nunca hasta entonces, ni tampoco después, oí hablar a Adolf Hitler como en esta hora, en la que estábamos tan solos bajo las estrellas, como si fuéramos las únicas criaturas de este mundo. Me es imposible reproducir exactamente las palabras que mi amigo dijo en esta hora.

En estos momentos me llamó la atención algo extraordinario que no había observado jamás en él, cuando me hablaba lleno de excitación: parecía como

> si fuera otro. Pero no era, como suele decirse, que un orador es arrastrado por sus propias palabras. ¡Por el contrario! Y tenía más bien la sensación como si él mismo viviera con asombro o con emoción incluso, lo que con fuerza elemental surgía en su interior. No me atrevo a ofrecer ningún juicio sobre esta obsesión pero era como un estado de éxtasis, un estado de total arrobamiento... En imágenes geniales, arrebatadoras, desarrolló ante mí su futuro y el de su pueblo... hablaba de una misión que recibiría un día del pueblo para liberarlo de su servidumbre y llevarlo hasta las alturas de la libertad... El silencio siguió a sus palabras.

Treinta años después Kubizek, su amigo de juventud, quedó asombrado cuando Hitler recordó a la señora Wagner, a cuya casa habían sido invitados, la escena que había tenido lugar después de la representación del *Rienzi* en Linz. Tras el relato, Hitler le dijo seriamente: «En aquella hora empezó».

En su obra *Hitler*, *ensayo de una biografía psicopatológica*, el doctor D´Achille Delmas se interroga en vano sobre la diferencia individual que distinguía al líder nazi del resto de las personas, apareciendo como un dirigente que se identificaba como el elegido de la Providencia, a modo de auténtico profeta; y es que alrededor de él se había formado una atmósfera de constante fervor. Sobre todo cuando por medio de encendidos discursos soltaba sin cesar parábolas, oraciones y exhortaciones al Todopoderoso.

De hecho, cuando Hitler es movilizado en la Primera Guerra Mundial, escribe largas cartas desde las trincheras del frente en las cuales no deja lugar a dudas, ya que se presenta a sí mismo como «el guardián apasionado». En él no queda ningún resto de suavidad. Es valiente y no da ningún valor a su vida. Hasta el punto de que es condecorado en el frente Occidental con la Cruz de Hierro de primera clase (la condecoración más alta que podía aspirar un soldado alemán en la guerra). Así pues, ¿se puede decir que los «trances místicos» de Hitler eran producto de una mente enferma y degenerada? Probablemente. Algo en lo que también coincide el estudio que la OSS, Oficina de Estudios Estratégicos (el servicio de inteligencia americano en la Segunda Guerra Mundial, antecesor de la CIA) que hizo un riguroso estudio de la mente del dictador. Sin embargo, pensamos que no todo se reduce a eso.

En las citadas cartas que el cabo bohemio escribe en la Primera Guerra Mundial se advierte con toda claridad la creencia de que debe la vida a un milagro o, mejor dicho, a una cadena de milagros; que los escudos le protegieron una y otra vez; que mientras la mayor parte del regimiento era sacrificado en un baño de sangre, él gozaba de la protección especial de la Providencia. ¿Un demente iluminado? Posiblemente.

Sin embargo, cuando en la década de los treinta, tras la llegada al poder, se publica una entrevista concedida a la periodista Janet Flanner, nos encontramos con un elemento adicional que no nos esperábamos. El dictador nazi relataba una experiencia que cambió la historia. Al menos la suya. Ocurrió durante la Primera Guerra Mundial, cuando un joven cabo llamado Adolf Hitler se encontraba cenando en una trinchera con varios compañeros de milicia y de pronto sucedió lo impredecible. Según relataría Hitler a la periodista:

> Repentinamente pareció que una voz me decía ¡levántate y vete allí! La voz era tan clara e insistente que automáticamente obedecí, como si se tratase de una orden militar. De inmediato me puse en pie y caminé unos veinte metros por la trinchera. Después me senté para seguir comiendo, con la mente otra vez tranquila. Apenas lo había hecho cuando, desde el lugar de la trinchera que acababa de abandonar, llegó un destello y un estampido ensordecedor. Acababa de estallar un obús perdido, en medio del grupo donde había estado sentado. Todos sus miembros murieron.

Así pues, tenemos a un perturbado mental con sueños mesiánicos y que además oye voces. Hasta ahí, conociendo la trayectoria que después llevaría el personaje, no hay nada sorprendente, ahora bien, esas voces le salvaron la vida y como veremos más adelante, no fue la única ocasión.

Hitler, a lo largo de su escalada política hacia el poder, y en el transcurso de la Segunda Guerra Mundial, sufrió al menos cuarenta y seis atentados de mayor o menor gravedad, y en la mayoría de las ocasiones, esas «voces» o ese «instinto» parecían llevarle por el «buen camino», por eso debemos tener en cuenta que quizás el futuro dictador obsesionado a lo largo de su vida con el ocultismo y el esoterismo intentó aumentar sus «capacidades» para aprovecharlas en beneficio propio, como si de un auténtico mago negro se tratara. Por lo que se sabe hasta el momento lo logró de dos maneras: de una parte aleccionado e instruido por una serie de oscuros personajes procedentes de sociedades secretas alemanas, y también mediante el rápido camino que le ofrecían las drogas para ampliar su «campo de visión», algo que es bastante desconocido por ahora. Pero vayamos por partes.

1.2. Lanz, el monje templario

Un año antes de que Hitler tuviera su visión en Linz se funda en Alemania una oscura sociedad ocultista, la ONT (Orden de los Nuevos Templarios). Joris Lanz, su gran maestre, es un benedictino renegado que está fuertemente atraído por los movimientos sectarios del cristianismo (agnósticos, cátaros, templarios y rosacruces). Llega a la conclusión de que los Caballeros del Grial, los *templeissen*, no eran otros que los miembros de la Orden del Temple, los históricos templarios. A partir de aquí Lanz concibe la reconstrucción de la Orden, y se considera a sí mismo el nuevo custodio del Santo Grial.

En las Navidades de ese año inaugurarán la *comandería* templaria de Werfenstein, en donde establecerán el centro de la orden. De lo más alto de su torreón central ondeará el estandarte de la orden: una esvástica roja sobre campo de oro, con cuatro flores de lis en los ángulos. Sin embargo esto no es ninguna casualidad, ya que Lanz había pasado una corta estancia en la abadía de Lambach muchos años antes siendo aún monje cisterciense. Curiosamente el prior de esa abadía, Theodor Hagen, había infestado el interior de la misma con multitud de esvásticas, el altar (que aún la conserva hoy en día), los muros e incluso su blasón personal llevaban ese distintivo. El símbolo lo había importado directamente del Oriente, tras realizar unos inquietantes viajes por la India. Su periplo lo dejó tan impresionado que mandó reconstruir completamente la iglesia local, incluyendo en ella el símbolo solar hindú de la fuerza y la buena suerte, la famosa esvástica.

Quizás el monje Lanz hubiera reparado, allá por el año 1900, en un pequeño coro de jóvenes escolares que hacían las veces de monaguillos en la antigua abadía, y quizás también, nunca lo sabremos, hubiera tomado contacto con uno de esos inofensivos niños. Concretamente uno de ellos solía «emborracharse con el solemne esplendor de los oficios». Su nombre era Adolf Hitler.

Lo que sí sabemos es que Lanz comienza una exhaustiva visita a la biblioteca de la abadía y también al monasterio de *Heiligen Kreutz* (la sagrada cruz), donde se encuentra con extraños volúmenes traídos por Hagen directamente de la India, y también con antiquísimos documentos alemanes. Todo ello hace que por alguna misteriosa razón Lanz reniegue de sus creencias y forme la ONT años más tarde.

Pero la concepción que Lanz se hacía sobre la misión de los templarios, la naturaleza del Grial y el papel de la orden reconstruida, diferían sensiblemente de la creencia general sostenida por la tradición. Lanz presenta la copa sagrada como una especie de «acumulador de energía» de la que la raza aria (indoeuropeos venidos del este, fundadores del pueblo alemán) extrae sus poderes y su legitimidad superior. En tanto que «hijos de los dioses», los arios, han recibido el Grial para mantener sus facultades superiores (intuición, clarividencia, poder dominar las energías y fuerzas de la naturaleza, etc.).

Y para divulgar estas delirantes ideas publica y distribuye la revista *Ostara*. El número uno de *Ostara* saldrá publicado en 1905 y durante dos décadas será el portavoz en papel de las teorías nacionalistas y ocultistas de las que se nutrirá el primitivo nazismo. *Ostara*, nombre de la Pascua germánica, procede de una antigua divinidad indogermánica. El mismo Hitler conocerá la existencia de un libro, publicado en Alemania en 1958 y escrito por Wilfried Daim, estudioso de los movimientos sectarios alemanes, en el que da cuenta de una entrevista con Lanz, anciano de más de setenta años en 1951. Lanz, a sabiendas de que este testimonio solo le podía causar perjuicios, le refirió que en el curso de 1909 recibió la

El coro de la abadía de Lambach. En la fila superior, Hitler es el segundo empezando por la derecha.

visita de un joven que dijo llamarse Adolf Hitler, interesado por comprar números atrasados de la revista *Ostara*. Lanz se los regaló al percibir el estado de grave miseria del joven. Pues bien, la dirección que Hitler dejó a Lanz, y que este aun conservaba anotada en un viejo número de *Ostara*, coincidía con la sórdida pensión en la que el futuro *Führer* residió en ese año en Viena. Un compañero de la misma pensión, años después de la guerra, siempre aseguró que Hitler guardaba en su miserable cuartucho un montón de revistas *Ostara*.

El ambiente místico-racista que se respiraba en esa época en Alemania, y que formaría el caldo de cultivo del régimen nazi, empezaba a ser importante en todas las sociedades secretas, e incluso comenzaba a dejarse notar en la calle; y todas esas ideas las había difundido décadas antes un curioso personaje, Guido List.

Este ciudadano vienés nacido el 5 de octubre de 1848 sufrió, cuando apenas tenía catorce años, una experiencia que le marcó para toda su vida: Las catacumbas de la Catedral de San Esteban le produjeron tal impresión que juró consagrar su vida a la rehabilitación de la fe pagana. Creyó percibir que antes de que aquellas catacumbas estuvieran consagradas a Cristo, lo habían estado a Wotan. Allí empezó su conversión. Pero además, al igual que ha sucedido a muchos «grandes inspirados» (Homero, San Pablo, etc), Guido List sufre ceguera durante un año. Esto cambiará fundamentalmente su carácter y la orientación de su obra; será a partir de ese momento cuando incluirá elementos esotéricos y ocultistas en sus planteamientos pangermanistas.

Aprovechando ese año de ceguera, Guido List elabora un modesto manuscrito relativo a la antigua lengua germánica y a su grafía, mezclando en el análisis elementos procedentes de diversas gnosis ocultistas. Sus trabajos sobre la magia de las runas, las tribus germánicas, el esoterismo del folclore y la toponimia germánica, o el simbolismo y lingüística ocultista, generan una gran expectación, que dará lugar a la Fundación List, e incluso llegará a crear, ya en 1911, una orden secreta, la *Orden de los Armanes*, dependiente de la anterior. Sus miembros irán al frente al estallar la gran guerra europea, y desde las trincheras seguirán manteniendo relación con List que profetizaba la victoria alemana. En su macuto solían llevar los opúsculos de List, la revista *Prana* o números de la revista *Ostara*, junto a literatura *Völkisch* (nacionalista).

Para ver hasta qué punto las ideas de List eran seguidas como «dogmas de fe» por las decenas de grupos esotéricos que se fundaron entonces, echemos un vistazo al interior de una de esas sociedades secretas.

El 11 de enero de 1912 los miembros de la Orden de los Germanos *(Germanenorden)* anunciaron una convocatoria para la celebración de una ceremonia de iniciación, en la que se daría la bienvenida a los nuevos hermanos de la logia. Este grupo ocultista estaba influenciado por las ideas de Guido Von List, mezclando racismo, masonería y wagnerianismo a partes iguales. Un auténtico cóctel explosivo.

Del experto en esoterismo, Ernesto Milá, obtenemos un documento ritual de 1912 que describe la iniciación de los novicios en el grado más bajo de la Orden. Mientras que los novicios esperaban en una estancia vecina, los hermanos se reunían en la sala de ceremonias de la logia. El Maestre se colocaba frente a la sala, flanqueada por dos caballeros vestidos con ropas blancas y cascos ornados con cuernos y apoyándose sobre sus espadas. Frente a ellos se sentaban el tesorero y el secretario, llevando cordones blancos, mientras que el heraldo se situaba en el centro de la sala. En el fondo de esta, en el «bosque del Grial», permanecía el Bardo con ropa blanca, ante el maestro de ceremonias revestido con ropa azul, mientras que los otros hermanos de la logia se disponían en semicírculo en torno a él, a la altura de las mazas del tesorero y el secretario.

Tras el «bosque del Grial» se encontraba una sala de música donde un armonio y un piano eran acompañados por un pequeño coro de «elfos del bosque». La ceremonia empezaba con una dulce música de armonio, mientras que los hermanos entonaban el coro de los peregrinos de *Tannhäuser* (ópera de Wagner). El ritual comenzaba a la luz de las velas. Los hermanos hacían el signo de la esvástica y el maestre respondía con el mismo gesto; entonces los novicios, con los ojos vendados, revestidos con la ropa del peregrino, eran introducidos por el maestro de ceremonias en la sala. Allí, el maestre les hablaba de la visión ario-germánica y aristocrática de la orden, antes de que el bardo alumbrara la llama sagrada en el «bosque» y que los novicios fueran despojados de su manto y de su venda. En este momento, el Maestre tomaba la lanza de Wotan y la mantenía ante él, mientras que dos caballeros cruzaban sus espadas delante de este. Una serie de preguntas y respuestas, acompañadas por la música de Wagner, completaba el juramento de los novicios.

Siguiendo su consagración, con los clamores de los «elfos del bosque» los nuevos hermanos eran conducidos al «bosque del Grial» en torno a la llama sagrada del Bardo. Con el ritual que hacían los miembros de la logia, figuras arquetípicas de la mitología germánica, este ceremonial debía producir una impresión profunda en los candidatos.

1.3. Viena: esoterismo y drogas

Años después de su estancia en Linz, Hitler se muda a Viena para cursar estudios de pintura y arquitectura. En realidad malvive vendiendo acuarelas en las concurridas calles de la aristocrática capital del imperio austrohúngaro. Allí conoce a Johannes Stein, un estudiante de matemáticas que con el tiempo se convertiría en la mayor autoridad europea en el tema del Grial. Debido al interés de ambos por la copa sagrada y los temas artúricos traban una corta amistad, y gracias al doctor Stein llegamos a saber el uso que el futuro *Führer* hacía de algunos alucinógenos por motivos puramente ocultistas.

La clave está en las continuas visitas que Hitler hacía a la biblioteca imperial del antiguo palacio Hofburg, pero sobre todo a una vieja librería situada en el casco antiguo de Viena que regentaba Ernst Pretzsche, un anciano de aspecto malévolo que guardaba literatura antisemita, cartas y símbolos astrológicos, carteles pornográficos y también reproducciones de alquimistas en plena tarea de investigación. Este librero, calvo y encorvado, se relacionaba con grupos que seguían prácticas de magia negra. Había tratado a Guido von List y con el tiempo pudo realizar un profundo estudio de la astrología, la alquimia y el ocultismo medieval. Asimismo analizaría, siguiendo la herencia de la afición paterna, las virtudes mágicas de los antiguos aztecas.

Desde la destartalada oficina de su trastienda, Pretzsche mostró un extraordinario entusiasmo por el movimiento wagneriano, haciéndose famoso en diversos círculos de adeptos por haber especializado su librería en ocultismo y

La esvástica fue usada desde hace miles de años en oriente como un símbolo de buena suerte en templos budistas.

Esvástica existente hoy en día en el altar de la Abadía de Lambach, tal y como pudo ser observada por Hitler en su infancia.

otros temas afines. La tienda en cuestión tenía en sus atestadas estanterías una extensa selección de volúmenes sobre teosofía, alquimia, religión, ocultismo y demás temas similares. Su diminuta figura de enorme abdomen captó enseguida la atención del joven Adolf en 1911. El artista callejero, con sus místicos ojos azules tan apagados y a la vez tan encendidos por una arrogancia y confianza ciega en sí mismo, prestó toda la atención posible a las lecciones del repelente librero, ya que este le iría desvelando los secretos encerrados tras el simbolismo astrológico y también alquímico para iniciar la búsqueda del Grial.

Pero lo más importante era que Hitler quiso alcanzar muy pronto las alturas de la conciencia trascendental y para ello intentaría diversos experimentos con drogas. El siniestro jorobado suministró a su discípulo la droga que ayudaba a los aztecas a obtener una clarividente visión que, según los antiguos, hablaba con la *Voz de Dios*. Se trataba del mágico peyote. Un cactus no espinoso y de forma cilíndrica, localizable en México y en Texas, que se consume recién cogido y produce una especie de embriaguez parecida a la del mescal. Su efecto más interesante se centra en las alucinaciones, sobre todo cuando se cierran los ojos, o la persona que ha ingerido esta droga se encuentra en la oscuridad. Contiene numerosos alcaloides —entre los que destaca la mescalina—, los cuales aumentan la excitabilidad medular, afectan al ritmo cardíaco y al respiratorio —al ralentizarlos— y tienen acción en los centros cerebrales. Con solo 0,5 a 0,7 gramos de extracto de peyote se producen efectos muy especiales. Desde el punto de vista psíquico, el que prueba el peyote alcanza un notable grado esquizofrénico.

Casualmente, ese cactus fue introducido en Europa por el mago negro inglés Aleister Crowley, que viajó por tierras mexicanas en el año 1900 y para entonces ya estaba metido por las sendas prohibidas de las drogas alucinógenas, siendo buen consumidor de cocaína, heroína, mescal, opio y marihuana. Este ocultista formó parte y presidió la *Golden Dawn* a principios de siglo. Una importantísima «central secreta», que tuvo entre sus miembros a ilustres personajes como el poeta y premio Nobel irlandés Yeats, y que mantuvo relaciones con la OTO (Ordo Templi Orientis) alemana y con la «Sociedad del *Vril*», que como veremos dieron lugar a diversas sociedades secretas, de las que formaron parte futuros dirigentes del III Reich, entre ellos Hess, Rossenberg, o el propio Hitler.

Pretzsche convenció a Hitler de que practicara todas las disciplinas preliminares de la búsqueda del Grial, tales como la concentración profunda, el poder de meditación necesario para manejar los pensamientos como si fueran objetos, el control estricto de los sentimientos, y el intento de dominar los deseos primarios. Según Pretzsche, todos estos aspectos eran vitales, porque sin un trasfondo así de control de la mente y disciplina interior, las drogas por sí solas no orientarían su visión ni le harían objetivamente receptivo a las realidades que encerraba la dilatación de la mente. La droga compensaría entonces esta condición de química corporal, que de otro modo solo sería misteriosamente creada por la consecución verdadera de las elevadas virtudes del Grial, es decir, por caminos naturales, y por lo tanto más laboriosos y menos rápidos. Todo ello, le conduciría directamente a increíbles experiencias y visiones trascendentales, incluidas las de sus supuestas reencarnaciones, una de las cuales será sorprendente. Pero no adelantemos acontecimientos.

1.4. Revelación mística en Pasewalk

Si hay un acontecimiento en la vida de Hitler que realmente disipase las pocas dudas que ya entonces tenía sobre su supuesto destino personal, ese llegó siete años después, al término de la Primera Guerra Mundial. Fue una revelación casi mística que tuvo tras un ataque con gas. Según sus propias palabras:

> Emplearon cruz amarilla —gas mostaza—, cuyos efectos no habíamos experimentado antes. Esta noche iba yo a obtener una experiencia de primera mano respecto al gas.
>
> En la noche del 13 de octubre nuestra posición sobre una colina al sur de Wervick cayó bajo fuego graneado con proyectiles de gas durante varias horas, el cual continuó toda la noche, variando en intensidad. De madrugada varios de nosotros nos desvanecimos, algunos de nuestros camaradas para siempre. Al amanecer, también a mí me sobrevino un dolor de ojos que empeoraba rápidamente. A las siete de la mañana, dando traspiés, me dirigí hacia la retaguardia con los ojos ardiéndome y acompañado por mi último despacho de guerra.

Hasta ahí su versión de los hechos, pero actualmente tenemos datos para dudar de esa posibilidad. Probablemente, debido al propio perfil psicológico y a las extrañas experiencias con alucinógenos que fueron llevadas descontroladamente por el viejo librero Pretzsche, el cabo alemán tenía una fuerte esquizofrenia, que las vicisitudes de la guerra, ya próxima a su fin y con la derrota alemana asegurada, llevó a Hitler al borde del colapso mental, provocándole una ceguera temporal.

Rudolph Olden —uno de sus primeros biógrafos— aseguró en 1936: «No debe pues sorprendernos la sugerencia de una posible ceguera histérica... No es muy probable que los informes médicos que pudieran brindarnos alguna luz sean descubiertos». Forster, el especialista que trató a Adolf Hitler durante 29 días en un hospital de la reserva prusiana, fue presionado y seguido continuamente por la Gestapo —policía hitleriana—, las SS y hasta el Abwehr —servicio secreto nazi—. Investigaron su entorno privado y profesional, lo que haría que el médico acabara suicidándose al apretar el gatillo de una pistola Luger, justo nueve meses después de que los nazis accedieran al poder.

Sin embargo, en un libro publicado por él mismo meses antes de su muerte y titulado *El testigo ocular*, se narraba la historia de un especialista en psiquiatría que en 1918 curó la ceguera histérica de un individuo que respondía a las iniciales de A. H. ¿Casualidad?

Lo cierto es que cuando la inesperada noticia del fin de las hostilidades y de la rendición alemana llega, rápida e inesperadamente la moral de Hitler toca fondo. La gran confianza que depositaba en la tutela de un ser superior se desvanece. Sin embargo, el «trance forzado extremo» al que le somete la privación de la vista y de las alteraciones del oído actúan de una manera sorprendente. Nunca sabremos qué tipo de visiones y voces volvió a escuchar esos días, pero lo cierto es que cuando su médico logra franquear la barrera mental que le separa del mundo real, el cabo alemán parece dotado de una fuerza inconmensurable.

Probablemente es el momento de mayor «iluminación espiritual» de toda su vida. Hitler hablará de un mensaje y una misión que debe cumplir. Consideró el restablecimiento de su vista como una señal celestial. Un signo inequívoco de que su futuro estaba predestinado. Desde ese instante creería que cada paso que diera estaba dirigido por la Providencia. Podría correr cualquier riesgo y proseguir hacia su destino final sin ningún tipo de vacilación, según lo expresó después. Así pues, una larga y horrible sombra negra se proyectaba sobre Europa y, probablemente ya entonces, el destino de millones de personas estaba fatalmente sellado.

Capítulo 2

La Sociedad Esotérica Thule

La bestia no es lo que parece.
Puede llevar incluso un bigotillo de lo más cómico.
SOLOVIEV, escritor ruso.

Tras recuperarse poco a poco de sus dolencias en el hospital berlinés, Hitler regresa a Munich. Estamos a 21 de noviembre de 1918, la guerra se ha perdido y el panorama en las calles de la capital bávara es desolador. Miles de soldados regresan a casa desde todos los frentes de batalla en largas filas. Son hombres fatigados, maltrechos y desorientados. Volvían de un infierno a otro no tan distinto, donde no se obtendría comida, paz ni trabajo. Era invierno y la nieve en las calles llegaba a gran altura. Había treinta mil desempleados. La violencia política era el pan de cada día, el comercio se había paralizado. Los veteranos de guerra deambulaban en bandas armadas sin control ni disciplina. Las gentes comían cualquier cosa comestible que llegaba a sus manos. Un caballo tirado en el suelo resultaba un manjar celestial.

2.1. El espía agitador de masas

En ese caos de posguerra Hitler encuentra un nuevo trabajo dentro del ejército. Un superior suyo, Karl Mair, lo recluta como espía. Debe infiltrarse y merodear de paisano, alrededor de los círculos y movimientos comunistas y revolucionarios que encuentre en Munich. Y lo hace estupendamente. Delata a diez oficiales del ejército que formaban parte de células comunistas. Todos ellos serían fusilados al poco tiempo.

Pero su relación con el ocultismo y las sociedades secretas no había hecho más que comenzar. Y es precisamente en los inicios del partido nazi donde el destino de Hitler volverá a quedar establecido fatalmente.

Como tantos otros pequeños grupúsculos políticos, el formado entonces por Karl Harrer y Anton Drexler, que apenas incluía a 24 miembros, la mayor parte de ellos ferroviarios, pretendía hundir sus raíces en la tradición obrera alemana. Este pequeño grupo duró de octubre de 1918 a enero de 1919. Hasta que el 5 de ese mes quedó definitivamente organizado como DAP, Partido Alemán de los Trabajadores. Y, como no podía ser de otra manera, la fundación tuvo lugar en una cervecería.

El 12 de septiembre de 1919, un hombre oscuro, enviado por la inteligencia militar, asistirá en calidad de espía a un acto público celebrado por la naciente organización. Se llamaba Adolf Hitler. El 20 de febrero de 1920 y gracias a su oratoria, Hitler ocupa ya la dirección del partido y lo transforma en NSDAP, el partido nazi con el que accedería a cotas de poder inimaginables. En esos meses de febril actividad en el nuevo partido, conoce al dramaturgo y escritor antisemita Dietrich Eckart, que por entonces era editor jefe de un periódico de barrio en Munich llamado *Vólkischer Beobachter* (El Observador Popular) y que décadas más tarde compraría Hitler para usarlo como periódico oficial del partido y del régimen nazi.

Anteriormente Eckart había sido un vagabundo en Berlín y más tarde fue confinado a un asilo para lunáticos en donde representaba obras, utilizando como actores a sus compañeros internos. Después de la guerra regresó a Munich y alquiló alojamientos de poco precio en el distrito de Schwabing, barrio sumamente favorecido por los artistas. A través de su reputación literaria cada vez mayor, Eckart hizo amigos y contactos en todos los estratos de la sociedad de Munich. Así llegó a ser en 1920 uno de los primeros mentores esotérico-políticos de Hitler. Fue su pasaporte hacia los dorados salones de las elevadas clases bávaras.

Eckart, empedernido bebedor, de lenguaje tosco, poseía dotes comprobadas de hipnotizador, y estaba totalmente absorbido por las corrientes místicas, hasta el punto de formar parte de un importante grupo esotérico, el grupo Thule.

Al menos en apariencia, la Sociedad Thule era tenida al principio como una especie de inofensivo círculo literario con dedicación exclusiva al análisis profundo de las antiguas historias y costumbres germánicas. Sus dirigentes eran profesionales liberales —frecuentemente abogados—, nobles aristócratas y militares; la tendencia general dominante era burguesía media-alta. El emblema que eligieron como símbolo para las reuniones, era una esvástica ceñida por espadas y guirnaldas. Si vemos el Registro de Sociedades de la capital bávara, hallamos que Thule acabó siendo catalogada como una simple Agrupación para el Estudio de la Antigüedad Teutónica.

Thule fue dirigida inicialmente por Rudolf Von Sebotendorf, y no era más que la sucursal en Munich de la Germanenorden Walvater del Santo Grial —una escisión de la ONT, la orden de los germanos—. Sebotendorf había nacido en el seno de una familia humilde originaria de Prusia en 1875. Era como Hitler, un desarraigado, alguien sin patria clara, sin oficio ni beneficio. A los veintitrés años, tras haber finalizado sus estudios técnicos, se embarcó visitando diversos países y entrando en contacto con distintas tradiciones y escuelas iniciáticas. Visitó Egipto en junio de 1900, pero buena parte de ese tiempo lo pasó en Constantinopla.

Es en esta Turquía mágica de principios de siglo en donde Sebotendorf se inicia en el estudio del ocultismo y de las religiones tradicionales. Entra en contacto con la orden sufí de los Mawlevis —los Derviches giróvagos— cuando ya habla con fluidez el árabe, que aprendió del imán de la mezquita de Beykoz. Pero sus contactos no se limitarán al islam. Buscará la relación con cabalistas hebreos tras haberse relacionado con la familia Termudi, de origen judío, y con ellos visitará las pirámides de Egipto estudiando sobre el terreno el esoterismo faraónico. Los Termudi eran también francmasones afiliados a una logia que trabajaba el rito de Menfis.

Sebotendorf es iniciado por uno de los Termudi en el rito, y con posterioridad heredará la copiosa biblioteca ocultista de esta familia. Será en el interior de uno de los libros en donde Sebotendorf encontrará unos apuntes, en los que se describen series de ejercicios especiales de meditación tal como los practicaba la orden derviche de los Bakhtâshi. En 1908 Sebotendorf regresa de Turquía con la convicción de

Única foto existente de miembros de la Orden esotérica Thule.

Emblema de la Sociedad Esotérica Thule.

que el esoterismo islámico y el germánico tienen un mismo origen. Allí se hará cargo de la logia Thule hasta junio de 1920. Y aunque fue casi cuestión de días, jamás llegó a conocer a Hitler. Pero lo importante es que le dejó a Eckart y al «círculo interno», los elementos necesarios para acceder a otros planos de la realidad, gracias al conocimiento de los derviches adquirido en oriente. Se suicidó en un acantilado turco el 9 de mayo de 1945. El mismo día de la rendición alemana en la Segunda Guerra Mundial.

2.2. Preparándose para recibir al anticristo

Como en toda orden de cierto nivel existía un círculo interno y más secreto en la logia Thule. Este estaba compuesto en exclusiva por maestros iniciados en el esoterismo, practicantes de la magia negra. Siempre fue relativamente pequeño, y sus protagonistas solo se preocuparon de elevar sus conciencias por medio de mágicos y ocultos rituales llevados a la práctica con un gran ceremonial. Lo hacían hasta alcanzar una percepción de malvadas inteligencias, nunca humanas, en el conjunto del Universo. En medio de signos secretos y con todas las insignias de una hermandad místico-esotérica, los adeptos más importantes de ese círculo —con Dietrich Eckart a la cabeza como guía— buscaron con afán un medio de comunicación con las referidas inteligencias.

En opinión del experto en nazismo esotérico, José Miguel Romaña: «La Sociedad Thule mantuvo vínculos con la *Golden Dawn* (Aurora Dorada) del Reino Unido, así como con el mago negro inglés Aleister Crowley, que antes de la Primera Guerra había ingresado en la OTO (Ordo Templi Orientis), grupo ocultista alemán con sede en Berlín y liderado por Theodor Reuss que afirmaba poseer la llave de todos los secretos masónicos y herméticos. Durante los últimos meses de la guerra, los miembros de la Sociedad Thule aún estaban consagrados a las tesis pangermánicas más extremas. Afirmaban la idea de la superioridad racial de los germanos y continuaban esforzándose por un grandióso Estado germano de poder y estatura inmensos».

No es casualidad que muchos de los que después dirigirían el imperio de terror del III Reich estuvieran en sus filas como adeptos. Es el caso de Alfred Rosenberg (filósofo del nazismo), Marx Amann (que sería más tarde uno de los primeros colaboradores de Hitler, llegando a ocupar el puesto de administrador del NSDAP), Gonfried Feder (que llegó en 1933 a ministro de Comercio, aunque su influencia declinó durante el III Reich), Hans Frank (apoderado legal del NSDAP durante los años veinte, gobernador general de Polonia en la Segunda Guerra Mundial), Rudolf Hess (número dos del régimen nazi), el periodista Karl Harrer (primer presidente del DAP o Partido Obrero Alemán, luego desplazado por Antón Drexler), etc.

Los *thulistas* solían entregarse a prácticas mágicas como el control de la energía *kundalini*, sin olvidar la creación de situaciones deseadas gracias a una visualización tan concentrada como intensa. Dietrich Eckart se dedicaba con pasión al misticismo, al tiempo que Alfred Rosenberg, mucho más práctico, cortejó a los aristócratas rusos antisemitas. Para lograr la concentración de la voluntad, la Sociedad Thule no se distinguió de otras sectas al llevar a cabo sus prácticas mágicas, pues también usaron círculos, colores, símbolos, luces y sustancias aromáticas.

Dietrich Eckart se convirtió rápidamente en la figura central del círculo de ocultistas de la Sociedad Thule. Un día aseguró a sus íntimos que a través de una suerte de anunciación, sabía que su destino le iba a exigir la preparación de algo así como el recipiente del anticristo, el mesías germano tanto tiempo esperado. De esta manera se hacía eco de una profecía que el monje Lanz había escrito de su puño y letra años antes en un número de la revista esotérica y racista *Ostara*: «Al cabo de doce años, después de su verdadero nacimiento —¿la iniciación?— tendrá la primera revelación del sentido del signo, con el que fabricará su estandarte. Después de haber recibido los pequeños y grandes misterios será elegido; subiendo los doce grados del superhombre que le darán los poderes mágicos para realizar su misión. No obstante, deberá todavía sufrir la prueba del fuego y del hierro —¿La Primera Guerra Mundial?— hasta en su propia carne, antes de comenzar a reunir a sus discípulos —¿formación del partido nazi?— y salir a plena luz».

Sin duda la componente satánica del futuro líder alemán se dejaba traslucir día a día, este actuaba y fecundaba el nuevo paganismo de la vieja Germanía. Hasta el final de sus días, el autócrata estuvo convencido de que su combate era el del anticristo. Quiso crear una religión para «descristianizar a hachazos al pueblo», según sus propias palabras. Un día, Hermann Rauschning tomó las siguientes notas en su presencia: «¿Acaso creen que alguna vez las masas volverán a ser cristianas? ¡Estupidez! Nunca más. El filme ha terminado, ninguna persona volverá a entrar en la sala y allí velaremos nosotros. Los curas deberán cavar sus propias tumbas. ¡De ellos mismos nos vendrá su buen Dios!».

Y fue precisamente Eckart, autonombrado precursor del anticristo, el que hizo entrar a Adolf Hitler en la Sociedad Thule, una tarde de 1922. Eso sí, como hermano «visitante», puesto que para entonces ya se reclutaban miembros hasta en las clases bajas para el «círculo externo» de la logia. Los requisitos que pasó Hitler fueron muy sencillos, porque no se exigía a los nuevos socios ninguna preparación especial. El sistema de admisión suponía que el recién llegado debía pasar por el estadio de «probatura», que en Thule se llamó «grado de amistad», y colocaba al neófito en el atrio del templo de la sociedad.

Inicialmente no se les pedía otra cosa que ser fieles a la tradición germánica. Debían facilitar una fotografía que el gran maestre examinaba para descubrir en los rasgos antropométricos huellas de sangre extranjera. Asimismo, tenían que jurar la pureza de su sangre hasta la tercera generación. Un largo cuestionario completaba los trámites de afiliación.

El emblema de la orden, que recibía cuando se daba el visto bueno al nuevo adherido, consistía en una espada antepuesta a la rueda solar y entre ambas, a su vez, dos hojas de roble. El postulante juraba fidelidad a la logia y a sus principios en una ceremonia de admisión presidida por el gran maestre, que pronunciaba las siguientes palabras rituales: «Así como volvéis a estar entre nosotros, lo que estáis haciendo es regresar a vuestra comunidad. Reencontráis Thule. Con nosotros alcanzáis el imperio invisible y eterno de nuestros antepasados del Norte».

Thule, en la mitología alemana, era un paraíso perdido en el norte del océano Atlántico, muchos la comparan con la Atlántida. El caso es que los ocultistas alemanes creían que en la antigüedad, ahí existieron superhombres dotados de poderes increíbles, y que Alemania debía recuperar esa grandeza.

La sociedad Thule se distinguía de las demás sectas ocultistas en un rasgo fundamental. Su presencia se notaba también en las calles. Lo cierto es que Baviera era el territorio más conflictivo de toda Alemania. Y solo entre 1918 y 1922 se contabilizaron 354 crímenes y asesinatos políticos. Según J. M. Romaña, las fuerzas de seguridad estaban siempre al corriente de esta «justicia paralela», y es que muchos de los oficiales de la policía eran adeptos de la sociedad Thule. Sin ir más lejos, el propio jefe de policía de Munich, Ernst Pohner, formaba parte del círculo interno de la sociedad Thule.

Además también se daban muchos casos de personas desaparecidas, siempre en extrañas circunstancias. Y entre estas personas, la mayoría de las cuales eran judíos o comunistas, debemos buscar a las víctimas de los «sacrificios» que fueron asesinadas en los rituales de «magia astrológica» llevados a cabo por Dietrich Eckart y el círculo interior de la *Thule Gesellschaft*.

2.3. La guerra mágica de la Logia Blanca

A pesar de que se han publicado algunos libros que sugerían que estos rituales tenían lugar, no existe evidencia alguna que pruebe que en estos ritos mágicos fueran torturadas y asesinadas personas indefensas. Sin embargo, según Trevor Ravenscroft, existen pruebas de otra índole, procedentes de un círculo secreto de iniciados del Grial, que sugiere que sus miembros eran capaces de contemplar estos rituales en una forma superior de consciencia, conocida por los ocultistas como «proyección astral».

Ese círculo secreto denominado la *Rosa Blanca* (en clara alusión a su componente Rosacruz) estaba liderado por el ocultista cristiano, Rudolf Steiner, creador de un movimiento espiritual llamado Antroposofía, en el que se practicaban técnicas de meditación y crecimiento personales, orientadas al bien de la comunidad.

Eckart y su círculo de acólitos en Thule los conocían perfectamente, y habían identificado a Rudolf Steiner como la figura central de un extenso círculo de iniciados en el Grial, que habían descubierto la naturaleza satánica del Grupo Thule y observaban todas sus reuniones y rituales de iniciación desde el plano astral. Eckart estaba convencido de que nada escapaba a las penetrantes facultades ocultistas de Steiner. Y dado que Steiner no ocultaba su intención de advertir a Alemania acerca de las metas secretas del partido nazi, había sido colocado a la cabeza de la lista de víctimas que debían ser liquidadas de inmediato por los asesinos de Thule.

Para el grupo Thule, la figura de Steiner era crucial como obstáculo en su camino hacia el poder, y por ello atentaron dos veces contra su vida. Una de ellas, se salvó *in extremis* en la estación de ferrocarril de Munich, cuando un subordinado de la sociedad satánica se dirigía hacia él para dispararle con una escopeta de cañones recortados. Pero el fundador de la Antroposofía siguió denunciando, tanto en privado como en público, la naturaleza demoníaca que habitaba en el alma del líder del partido nazi.

Los nazis incendiaron el Goetheanum[1] la noche del 31 de diciembre de 1922. En enero de 1924, Steiner fue víctima de un nuevo atentado, y aunque lo superó, su salud quedó muy mermada, muriendo finalmente en 1925.

Dietrich Eckart había logrado su objetivo, había despejado el camino, esotéricamente hablando, para el partido nazi. Pero, como muchos magos negros, falleció igualmente de manera imprevista y quizás prematuramente. Tan solo un mes después del intento de golpe de estado por parte de Hitler en 1923 —el llamado *Putsch* de la cervecería—. Mientras yacía moribundo en una calle de Munich, decía a dos de sus acólitos: «No me lloréis... le hemos dado los medios para comunicarse con ellos. Yo habré influido más en la historia que cualquier otro alemán... Hitler bailará, pero yo he compuesto la música». Sin comentarios.

El lector se estará preguntando acertadamente; ¿para comunicarse con quién? La respuesta no es sencilla y tendrá que tratarse ampliamente más adelante, cuando hablemos de los «superiores desconocidos», y del inquietante tema del supuesto «Rey del Mundo». De todas formas, y por los relatos que tenemos de terceros, ya por esas fechas, el «entrenamiento» de Hitler debía de estar dando sus frutos, pues las personas que le rodeaban contaban frecuentemente cómo por las noches, y siempre en el curso de sus frecuentes insomnios: «Hitler se despertaba durante la noche con gritos convulsivos. Pedía auxilio. Sentado en el borde de la cama, estaba como paralizado, presa de un pánico que lo hacía temblar al punto de sacudir la cama. Profiere vociferaciones confusas e incomprensibles. Jadea como si estuviera a punto de ahogarse».

[1] Gran obra arquitectóncia de Steiner en donde se enseñaban y estudiaban todas las artes, además de lugar de conferencias y eventos culturales. El *Goetheanum* fue reconstruido y está en Dornach (Suiza).

Esto hizo que se planteara la posibilidad más que real de que Hitler actuara en cierto sentido como un médium, un transmisor de algún ser, o puede que varios según decía Eckart, su primer mentor. Esos «dioses» que se apoderaban de su alma en momentos concretos, hacían que, a veces, pareciera comportarse como si fuera ajeno a todo lo que le rodeaba. Recordemos cómo lo veían los periodistas de la época, en sus mítines multitudinarios: «Escucha a Hitler y de pronto tendrás la visión de alguien que guiará a la Humanidad hacia la gloria. Una luz aparece en una ventana oscura. Un caballero con un cómico bigotillo se convierte en un arcángel. Entonces el arcángel levanta el vuelo y desaparece. Allí abajo queda Hitler, bañado en sudor y con los ojos vidriosos».

No hay que olvidar que el futuro dictador nació en el pueblecito de Braunau Am Inn, que en el siglo XIX fue la cuna de un gran número de médiums y paragnostas con capacidades espectaculares. Los hermanos Schneider, dotados de

Rudolf Steiner, el mago blanco fundador de la Antroposofía.

Yeats, escritor irlandés y Nobel de literatura, formó parte de la sociedad secreta Golden Dawn.

unas cualidades paranormales y mentales excepcionales, fueron algunos de ellos. Rudi Schneider llegó a materializar ectoplasmas espectaculares —sustancia física que expulsa el médium y que, a veces, toma la forma de algún ser humano— ante una gran cantidad de científicos, siendo aún adolescente. Por cierto, la niñera que amamantó a los hermanos Schneider también cuidó a Hitler cuando era un bebé.

A pesar de que los nazis intentaron acabar con Steiner y sus seguidores, todo parece indicar que la «sociedad blanca» siguió funcionando y manteniendo esa «guerra mágica» de manera subterránea, incluso hasta el final de la contienda mundial. Así nacieron grupos como el llamado «Círculo de Kreisau», donde podemos encontrarnos a personas como el coronel Von Stauffenberg, jefe del Estado Mayor del ejército territorial y perteneciente a una prestigiosa familia de militares cuyos miembros fueron fervientes seguidores de Rudolf Steiner y la Antroposofía. Este militar, junto a otros, fundó una sociedad que agrupaba a intelectuales opuestos al jerarca nazi. El momento cumbre de su actuación contra el *Führer* fue en el cuartel general de Hitler, en Rastenburg (Alemania), el 20 de julio de 1944.

Rodeado por algunos de sus lugartenientes, el *Führer* escuchaba un informe sobre el desastroso rumbo que había tomado la guerra en el frente ruso. Acompañado por el general Keitel, el coronel Von Stauffenberg entró en la sala. Dejó en el suelo un portafolios, dentro del cual había una bomba, y lo empujó con el pie hasta apoyarlo sobre un enorme tablero. Después aprovechó para abandonar la sala en un momento en que la atención de los presentes estaba centrada en el mapa que había sobre la mesa. Para ver mejor, Hitler se levantó de su silla y se inclinó sobre el tablero. El coronel Brandt hizo lo mismo y tropezó con el maletín, colocándolo en la parte exterior de un grueso bloque, que actuó como barrera, protegiendo de la explosión a Hitler.

Cuando la bomba explosionó, el recinto pareció saltar por los aires. Stauffenberg y el general conjurado Fellgiebel no tenían dudas de que Hitler había muerto. Mientras el primero aprovechaba la confusión para dirigirse hacia un avión que le conduciría a Berlín, Fellgiebel aprovechó su calidad de jefe de comunicaciones para dar la señal y comenzar la operación *Walkiria*, en la cual todos los miembros del grupo conspirador arrestaron a los principales cabecillas del régimen nazi y cortaron las comunicaciones con Berlín. Pero Hitler únicamente estaba conmocionado y solo sufrió una ligera parálisis de las extremidades en el lado izquierdo de su cuerpo —algo que le acompañaría hasta sus últimos días—. Había salido indemne del atentando mortal. Una vez más, el de Braunau refuerza su creencia de que los dioses lo han elegido para que la guerra continúe hasta sus últimas consecuencias. Hasta la victoria definitiva.

La reacción posterior del caudillo fue brutal. Mandó por orden expresa fusilar y ahorcar a cerca de tres mil militares y civiles implicados en el complot. En su maldad, Hitler incluso ordenó filmar las ejecuciones, que posteriormente visionaría en la cancillería de Berlín para disfrute personal. Entre los caídos se encontraban algunos de los hombres más valiosos de Alemania y héroes nacionales como el mariscal Rommel, a quien se obligó a envenenarse para proteger a su familia y evitarle al régimen un proceso embarazoso, o como el propio conde Klaus Von Stauffenberg, quien antes de morir fusilado gritó: «¡Larga vida a nuestra Alemania secreta!».

2.4. El iniciado del «Dragón Verde» y «Los 72» que gobiernan el mundo

Quizás uno de los personajes más importantes —para nuestra historia secreta del nazismo— que en ese momento cayeron en desgracia fue el profesor universitario Karl Haushofer. Miembro también del círculo interno de Thule, adepto ferviente de la sabiduría oriental, pasó cinco años en los reinos del Himalaya y tres en Japón. Ello le permitió formar parte de las sociedades secretas más importantes entonces del mundo, como eran la «Sociedad del *Vril*» y, sobre todo, la «Sociedad del Dragón Verde».

De esta última sociedad se dice que estaba asociada a un grupo de poder mundial denominado «Los 72». Estudiando a los eruditos tibetanos y chinos, además de los textos japoneses sobre la influencia del espíritu sobre el estado y la política, afirmaban que: «Utilizando la fuerza espiritual, los iniciados son capaces de sugerir a sus enemigos las medidas que les convienen. Todo no depende más que de la astucia y de emitir y de dirigir pensamientos, de la misma manera que un receptor radiofónico está relacionado con una emisora».

Haushofer además es comunmente considerado como el padre e inventor de la geopolítica, asignatura de la que era catedrático en la Universidad de Munich. Para él, «todo, absolutamente todo, se encuentra en función de los puntos geográficos y de los pueblos que los habitan». Fue Rudolf Hess, que se convertirá desde el principio en la segunda persona más importante del régimen nazi (lugarteniente del *Führer*), y que en ese momento era un místico convencido de la sociedad Thule a la vez que ayudante de Haushofer en la universidad, el que se lo presentará a Hitler.

El fanático geoestratega se dio rápidamente cuenta del potencial del agitador austriaco. Si Eckart inició y pulió las «capacidades» de Hitler, Haushofer culminó esa iniciación

A partir de su ascenso al poder, los nazis mostraron desfiles cara al publico de claro carácter esotérico.

llevándolo a los últimos grados, y puso en su mano técnicas y conocimientos que de otra manera no habría podido llegar a tener. Además, y esto es fundamental, le enseñó todo el bagaje teórico que Hitler debía dominar en sus discursos políticos.

Haushofer siguió literalmente por toda Asia el rastro de la «Sociedad del *Vril*», llegando a tener una estrecha relación con sus miembros. Para ellos, el *Vril* sería una especie de energía vital que circunda a toda materia viva y que se encuentra en el principio de toda acción humana trascendental. Es interesante destacar que en la India los miembros del *Vril* adoran al sol, al que representan con una esvástica en sus templos. Además, y como probablemente desde hace milenios, todos los días saludan al astro rey de la misma manera que lo hicieron los nazis, con los brazos extendidos ¿casualidad?

En cuanto a la «Sociedad del Dragón Verde» y el grupo de «Los 72», hay que decir que cuando fue asesinado en Munich el ministro de exteriores Walter Rathenau, fallecido tras una corta agonía en brazos de Irma Staub, fiel compañera y colaboradora; profirió una postrera e inquietante declaración que esa mujer recogió: «Los 72 que dominan el mundo...».

Pero volvamos a los acontecimientos del atentando contra Hitler. Según parece, el hijo del geopolítico, Albrecht Haushofer, intervino directamente en el complot. Las iras del dictador no se hicieron esperar y no tuvo ningún tipo de miramientos. El gran geoestratega, que había despejado y limpiado el trecho final del ascenso de Hitler al poder, acabó deportado al campo de concentración de Dachau. Por su parte, su hijo Albrecht, fue arrestado y confinado en la prisión berlinesa de Moabit (donde aún pudo escribir una serie de poemas revolucionarios). A la una de la madrugada de una fría noche del 23 de abril de 1945, siete días antes de que Hitler desapareciera de la historia en su búnker de Berlín, Albretcht fue decapitado (sin juicio previo) junto a otros catorce compañeros de reclusión, por un pelotón especial de las temibles SS.

Su padre, sin embargo sobrevivió a Dachau, y fue visto por última vez tras la guerra en el proceso de Nuremberg, donde declaró a favor de su antiguo ayudante de cátedra en la universidad, Rudolf Hess. Este último, totalmente loco o quizás drogado, no lo reconoció. En cualquier caso, Haushofer hacía tiempo que había tomado una decisión crítica, casi brutal, pues a raíz de haber sido iniciado en el Japón en una de las más grandes sociedades secretas de oriente, la «Sociedad del Dragón Verde», se obligó, pues había fracasado en su misión, a cumplir el suicidio ceremonial como así se les exige a sus miembros desde hace siglos. Y efectivamente, pocos días después, el viejo profesor se quitaba la vida junto a su esposa. Hizo uso de la daga ceremonial en un antiguo ritual oriental.

Pero esta historia aún no acaba aquí, cuando encontraron el cuerpo sin vida de su hijo Albrecht, en uno de sus bolsillos del pantalón, tenía el último poema aún sin terminar. Estaba dedicado a su padre y decía así:

> Para mi padre la suerte está echada...
> una vez más el demonio debía ser repelido
> y arrojado de nuevo a su prisión,
> pero mi padre rompió el sedal...
> no sentía la respiración del maligno...
> y lo liberó para destruir el mundo.

Capítulo 3

Ahnenerbe: Círculo secreto del anticristo

Los más altos ocultistas de la logia Thule, vieron cómo la preparación de su discípulo y médium daba los resultados esperados accediendo al poder absoluto de Alemania en enero de 1933. Esos personajes, que incluso superaban en preparación y conocimientos al mismísimo Karl Haushofer, maestro espiritual del futuro *Führer* en su etapa de acceso al poder político, siguieron trabajando con el partido nazi hasta el ocaso final, pero de manera más frenética y con medios casi ilimitados como veremos.

Heinrich Himmler era con toda seguridad el más fanático creyente en las ciencias ocultas, profesando una fe ciega en «las fuerzas desconocidas que nos rodean». En cualquier desplazamiento había un par de libros que llevaba siempre consigo, el *Bhagavad-Gita,* y el *Parzival* de Eschenbach. Ya en el poder se hizo con la dirección de las temidas SS. Un cuerpo de elite o de «monjes-guerreros», como a él le gustaba denominarlos, con los que formaría una autentica Orden Negra, que seguiría los preceptos del antiguo paganismo germano y los dogmas de fe del nazismo como creencia religiosa.

El 1 de julio de 1935 crea la *Deutsches Ahnenerbe*, o «Sociedad de Estudios para la Historia Antigua del Espíritu», y que pronto sería conocida como «Herencia de los Ancestros». Himmler dio la orden para la constitución de la sociedad, inspirado por Hermann Wirth, profesor holandés especialista en el estudio del germanismo. El primer departamento de la organización fue creado directamente por Wirth, y prestaba particular atención al estudio del antiguo alfabeto rúnico que tanta importancia tendría en la simbología del nazismo. El mismo símbolo de la *Ahnenerbe* era una runa. La runa de la vida.

Los objetivos de la sociedad eran fundamentalmente tres: investigar el alcance territorial y el espíritu de la raza germánica, rescatar y restituir las tradiciones alemanas, y difundir la cultura tradicional alemana entre la población. En 1936 se constituyó el departamento de lingüística, en 1937 el de investigaciones sobre los contenidos y símbolos de las tradiciones populares, y un año después el departamento de arqueología germánica. Este último se haría famoso por sus extrañas expediciones. En su afán de encontrar reliquias sagradas, tan increíbles como el Santo Grial o el Arca de la Alianza, realizaron excavaciones en todo el mundo.

Estas actividades, extraordinariamente diversificadas, hacían que se multiplicaran los departamentos en el seno de la sociedad. Llegó a tener 43, dedicados a danzas populares y canciones tradicionales, estilos regionales, folclore, leyendas, geografía sagrada, ciencias paranormales, etc.

Andre Brissaud escribe que los trabajos de la sociedad eran «asuntos secretos del Reich» y comprendían desde temas clásicos como «la lengua y literatura germánicas» hasta temas tan curiosos como «el yoga y zen, doctrinas esotéricas e influencias mágicas sobre el comportamiento humano». La sección esotérica estaba a cargo de Friedrich Hielscher y Wolfram Sievers; asimismo el famoso escritor Ernst Jünger y el filósofo judío Martin Buber colaboraron con la *Ahnenerbe*.

Para formar parte de la sociedad se exigía el título de doctor universitario y los departamentos se organizaban a modo de grupos de estudio. La sociedad mantuvo siempre una independencia de criterios que en ocasiones le llevó a adoptar posturas críticas ante el régimen, sin que en ningún momento le acarrearan represalias. Colaboradores de la *Ahne-*

nerbe fueron también Franz Altheim, especialista en el bajo imperio romano y en la época alejandrina, Eric Oxenstierna especialista en cultura nórdica y en particular en la Historia vikinga, o el mismo Hermann Wirth especialista en antigüedad escandinava que pudo realizar dos viajes financiados por la *Ahnenerbe* al extremo Norte del planeta, que consideraban como foco originario de la raza aria.

Además, es interesante constatar también, como la *Ahnenerbe* no se preocupó solamente de actividades intelectuales, ya que la forja del carácter y ciertas actividades deportivas, ocuparon parte de su tiempo. En particular daban gran importancia al alpinismo y la espeleología.

3.1. Hielscher, el sumo sacerdote

Nos vamos ya acercando a los maestros más secretos del grupo Thule y, por lo tanto, del esoterismo nazi. Todos ellos, como se ha insinuado, tenían un nivel extraordinario dentro del mundo del ocultismo, incluso a escala mundial. Concretamente uno de ellos, Hielscher, era el auténtico mago negro en la sombra. Con el tiempo y la llegada de la Guerra Mundial, la influencia sobre Hitler de este oscuro maestro, del que poco se sabe, aumentó en detrimento de su antiguo mentor Karl Haushofer.

Para que nos hagamos una idea Von Sievers y Kaltenbrunner (jefe de la Gestapo) le profesaban una profunda devoción. Heinrich Himmler hablaba de él en respetuosos susurros y le consideraba la figura más importante de Alemania después de Hitler. Si Alemania llegara a ganar la guerra, seguramente Hielscher saldría a la luz, convertido en el sacerdote supremo de la nueva religión, con Hitler como divinidad encarnada.

El escritor Jünger se relacionó muy fuertemente con este entramado secreto, y es gracias a una novela y a su propio diario personal, que tenemos alguna idea de la personalidad de este esquivo personaje. En sus anotaciones, Jünger usa pseudónimos, por eso a Hitler lo llama «Kniebolo» y al mago negro Hielscher, lo denomina «Bogo».

Así, con referencia al 14 de octubre de 1943. Jünger escribe lo siguiente: «Por la noche visita a "Bogo". En una época tan pobre en fuerzas originales lo considero como uno de mis conocidos en quien más he reflexionado sin lograr formarme una opinión. Antes pensé que entraría en la historia de nuestra época como uno de esos personajes poco conocidos, pero que tienen una extraordinaria agudeza de ingenio. Ahora pienso que desempeñará un papel más importante. Muchos, si no la mayoría de los jóvenes intelectuales de la generación que llegó a la edad adulta después de la Gran Guerra, han experimentado su influencia y a menudo han pasado por la escuela.

Ha confirmado una sospecha que yo tenía hace mucho tiempo, y es que ha fundado una iglesia. Ahora se sitúa más allá de la dogmática. Ha avanzado ya mucho en el terreno de la liturgia. Me ha mostrado una serie de cánticos y un ciclo de fiestas, «el año pagano», que comprende todo un reglamento de dioses, colores, animales, comidas, piedras, plantas. Ha advertido que la consagración de la luz se celebra el 2 de febrero».

Efectivamente, Himmler y su Estado Mayor personal constituido por hombres de su más absoluta confianza concibieron un calendario festivo para la Orden Negra de las SS que establecía unas fechas sagradas a lo largo del año. En ellas las SS renovaban sus compromisos de honor y lealtad para con el *Führer* y la Orden. Estas festividades servían para sustituir a las fiestas cristianas por otras que estuvieran más próximas a la tradición germánico-pagana. La Navidad era, sin duda, la fiesta que había recibido más atención por parte de Himmler y de sus místicos consejeros. Para contrarrestar la fecha de celebración del nacimiento de Cristo se proclamó la *Julfeste*, que tenía desde la más remota antigüedad un carácter solar.

Efectivamente, en el 25 de diciembre se conmemoraba el «día del nacimiento del sol invencible» —el Sol Invictus, que para los romanos representaba el nacimiento de Mithra—, es decir, el día en el que el sol, después de ir acortando su presencia de día en día desde el solsticio de verano, parecía recobrar nuevas fuerzas y alumbrar de nuevo a la tierra tras el período agónico del otoño y la muerte invernal. Otros períodos del año habían sido igualmente reciclados en forma de fiestas neopaganas. La Pascua se transformó en la fiesta de «Ostara», por ejemplo.

Pero sigamos leyendo las interesantes anotaciones de Jünger y veamos la comparación que hace entre Hitler y el mago negro: «He podido comprobar en "Bogo" un cambio fundamental que me parece característico de toda nuestra elite: se lanza a los terrenos metafísicos con todo el impulso de un pensamiento modelado por el racionalismo. Esto me había chocado ya en Spengler (filósofo del nazismo) y significa un presagio favorable. Podría decirse en términos generales que el siglo XIX ha sido un siglo racional, y que el siglo

ϟϟ

Liebe Eltern, Frauen und Kinder,
Bräute und Geschwister,
unserer gefallenen ϟϟ-Männer!

Euch, den Gesippen unserer gefallenen lieben Kameraden, die Ihr unserer großen Familie der Schutzstaffel angehört, übersende ich meine herzlichen Wünsche für das Julfest und für das Jahr 1944.

Heil Hitler!

H. Himmler

Feldkommandostelle, im Dezember 1943

Documento de Himmler por el que felicita a los miembros de las SS en la celebración de la fiesta pagana del Julfeste.

XX es el de los cultos. “Kniebolo” vive también de esto, y de aquí la total incapacidad de los espíritus liberales de comprender siquiera la posición que adopta».

Una de las consignas subterráneas del régimen nazi era eliminar progresivamente la influencia que para el pueblo alemán tenían los ritos de la Iglesia Católica. A Himmler le preocupaba especialmente que ni en el nacimiento ni en la muerte de un miembro de la Orden Negra estuviera presente un sacerdote cristiano.

Hace muy poco se ha revelado una película inédita, que muestra la ceremonia llevada a cabo por una pareja para contraer matrimonio bajo el ritual de las SS. En ella se ve claramente que la sala en la que se celebraba la ceremonia estaba presidida por una gigantesca banderola negra con la S rúnica grabada en plata. Previamente los cónyuges habían realizado su matrimonio civil y en el curso del acto, el oficial superior —el propio Himmler en este caso— les entregaba el pan y la sal, símbolos de la tierra y la fertilidad. Durante el bautismo del hijo de un afiliado a la Orden Negra se les hacía entrega de una medalla con signos rúnicos para el recién nacido, y se pronunciaba la fórmula de ingreso del recién nacido en la comunidad de las SS.

3.2. El vuelo misterioso de Hess

Esta influencia de todo tipo de temas sobrenaturales y ocultistas se dejaba notar en la vida política de la Alemania nazi, a veces incluso, determinando gravemente el rumbo de la guerra. En concreto la astrología y los horóscopos eran uno de los temas que más obsesivamente influían en las personalidades de Hitler, Himmler, y sobre todo el lugarteniente y amigo personal del canciller alemán, Rudolf Hess. Este alemán nacido en Alejandría (Egipto), aficionado a las ciencias ocultas desde muy joven, de heroico comportamiento en la infantería de choque germana y luego voluntario de los primeros escuadrones de la *Luftwaffe*, creía en la magnetoterapia —el uso de imanes como método curativo— y el mesmerismo —una suerte de influencia en la voluntad de una persona, muy parecida a la hipnosis—, entre otras muchas cosas.

Y fue precisamente la astrología la culpable de uno de los hechos más enigmáticos de la Segunda Guerra Mundial. Nos referimos al misterioso vuelo que Hess realizó en solitario y clandestinamente hacia Escocia en mayo de 1941. Siempre se ha dicho que el propósito de ese vuelo era lograr una entrevista con el Duque de Hamilton, amigo personal de su maestro Karl Haushofer, para lograr una paz anglo-germana. Haushofer inculcó en Hess la extravagante idea de que, al pertenecer los ingleses a una raza nórdica, estos simpatizarían con la causa aria. Es más, probablemente se pretendía la unión al bando alemán en la guerra, si Churchill lograba ser derrocado.

Con esa intención aparente Hess toma un *Messerschmitt 110* especialmente acondicionado, con un destino que había sido planificado cuidadosamente durante meses. Hess está fuertemente influido por el sueño premonitorio que su maestro Haushofer le confesó días antes del vuelo. Ese sueño se repitió durante tres noches seguidas: «Vi un castillo escocés de cuyos muros colgaban grandes tapices rojos... y en su interior, caminabas trayendo la paz a Alemania y Gran Bretaña».

Incluso el día del vuelo había sido decidido por los astros. Uno de los amigos de Hess, el astrólogo Ernst Strathaus, vio en el horóscopo del lugarteniente del *Führer* una favorable disposición de los planetas. Se iba a producir un importante alineamiento astronómico. Seis planetas estaban en Tauro y había luna llena en Escorpión, justo en el lado opuesto del zodiaco. De acuerdo con las predicciones astrológicas ese tipo de situación puede producir graves cambios en los acontecimientos. Hess quizás pensó que la guerra podía variar su rumbo. El mágico alineamiento se produciría el día 10 de mayo, exactamente el día que Hess voló con determinación fanática hacia su destino final.

Realmente nunca sabremos todo lo que ocurrió después. Hess fue encerrado e interrogado en multitud de ocasiones. Y tras el proceso de Nuremberg, aunque salvó la vida, fue encarcelado hasta sus últimos días en la prisión de Spandau. El prisionero número 7, como fue llamado desde entonces, se dedicó allí a cultivar su pasión por las creencias extrañas o los vuelos espaciales a la luna, de los que tuvo noticia y que tanto le impresionaban. Todo ello durante casi medio siglo, en el más absoluto silencio. Las actas y documentos, incluidos los que aclaran los motivos del misterioso vuelo, siguen estando censurados por el Archivo de Guerra Británico, clasificados como secreto de Estado, ya que «afecta aún a la seguridad nacional». ¿Por qué? Lo único que sabemos es que en una carta personal a su madre, le pide que legalice dos documentos. Un registro del sueño de Karl Haushofer y la lectura notarial de su horóscopo realizada por Strathaus.

Rudolf Hess fue el número dos del III Reich. *Su misterioso vuelo en solitario a Inglaterra, estuvo fuertemente influenciado por la astrología.*

3.3. Un Camelot para los monjes negros

Es evidente que también en la orden de las SS funcionaban círculos y grupos más secretos e internos. En la cúspide de la pirámide nos encontramos a miembros de la *Ahnenerbe*, que en su mayor parte habían sido del grupo Thule. Según el especialista Ernesto Milá: «Dentro de las SS existió un primer "círculo interior" y, sin duda, un segundo y un tercero. En ocasiones las jerarquías interiores no tenían nada que ver con las exteriores de la orden. La pertenencia al primer círculo interior venía determinada por el tiempo de permanencia en la orden, y su talismán era un anillo de plata extraordinariamente austero en el que estaba grabada una calavera. En un principio los miembros de este «primer círculo» fueron los 10.000 afiliados iniciales de la orden. Pero más tarde se fue ampliando a todos aquellos de las SS que por un motivo u otro se habían distinguido en el cumplimiento de servicios.

El segundo círculo tenía como talismán distintivo un espadín con las runas de la victoria. Solamente los procedentes de la casta prusiana de los *junkers* (aristocracia alemana) recibían directamente el espadín una vez salidos de la escuela de cadetes. Quienes no eran nobles de origen debían recibirlo por aprobación personal y directa de Heinrich Himmler.

Y un tercer círculo, unía a los talismanes de los dos anteriores y a las runas de las SS, el propio blasón familiar. Estos eran los «elegidos», el centro de la orden. Fueron 12 miembros de las SS sentados en torno a Himmler, como fueron 12 los caballeros de la Mesa Redonda, en torno a Arturo. El castillo de Wewelsburg fue su Camelot.

Efectivamente, en 1934 Himmler tomó posesión del castillo medieval de Wewelsburg, una fortaleza que se encontraba en un penoso estado de conservación situada en Westfalia. El edificio debía convertirse en el centro del mundo. En la Meca simbólica de la religión nazi. Desgraciadamente la restauración del mismo costó la vida a 2.000 prisioneros destacados del campo de Sachsenhausen. ¿Por qué se eligió Wewelsburg? Se cuentan diversas versiones sobre los motivos que condujeron a esta destartalada fortaleza como centro de las SS. Pero parece ser que Karl Maria Willigut (que fue llamado el Rasputín de Himmler), en estado de trance, profetizó que «cuando sobrevenga la invasión de los Hunos (las hordas del Este), solo resistirá un castillo de Westfalia».

No hay que olvidar que Himmler se creía la reencarnación de Enrique I *el pajarero*, rey de Germanía y emperador de Alemania allá por el año 910. Conocido como el «fortificador de ciudades», Enrique I fue el que derrotó e impidió que las hordas mongolas invadieran los territorios europeos en esa época. Según el deseo de Himmler se exhumaron sus restos, y en la catedral donde estaba su tumba, se reemplazó el altar por una tribuna de mármol. Al resplandor de las antorchas, tanto los jefes de las SS y los cadetes como el propio Himmler, conmemoraban cada año con una gran parafernalia mística, el aniversario de su muerte.

En el ala sur del fastuoso castillo de Wewelsburg se encontraban las habitaciones privadas de Himmler, entre ellas había una gigantesca sala habilitada como biblioteca que contó, de partida, con 12.000 volúmenes, casi todos sobre temática ocultista. Otras habitaciones estaban reservadas a Hitler, quien jamás se acercó a la fortaleza. A ello se sumaron las pinturas y tapices que colgaban de las paredes. De hecho, mandó a sus subordinados por media Europa para buscar en museos y colecciones privadas obras de arte a fin de proporcionar al conjunto una impresionante decoración.

Cuando quedó terminado, se reveló como una reconstrucción única de un castillo medieval. Cada estancia estaba amueblada con un estilo distinto. No había dos mesas iguales en todo el castillo. Fueron contratados los mejores artesanos para elaborar finos tapices, mobiliario sólido de roble, pomos de hierro forjado, candelabros. Se compraron alfombras valiosísimas, cortinas de pesado brocado flanqueaban las altas ventanas. Las puertas fueron revestidas y embellecidas con piedras y metales preciosos. Las torres del castillo, construidas en el antiguo estilo germánico, se elevaban a gran altura por encima de los bosques circundantes. En la segunda planta, una monumental sala albergaba al Tribunal Supremo de las SS. Y en el centro una gran mesa redonda de roble macizo con doce butacones tapizados de piel de cerdo con el blasón del miembro que debía ocuparlo. Era el centro de decisiones de la Orden Negra.

Bajo los muros del castillo, en la cripta, se hallaba la sala de los muertos, un recinto abovedado y circular. Albergaba en su centro una pira y en los muros doce habitáculos en los que ordenó que se levantaran trece altares alrededor de una gruesa mesa de piedra. Lo hizo para cuando un miembro de tan restringido círculo de elegidos en las SS dejara este mundo. Entonces se debían colocar sus cenizas en la correspondiente urna encima de uno de esos altares, justo después de que el escudo de armas del fallecido acabara de ser pasto de las llamas, y todo para que fuesen veneradas al mejor estilo religioso por el resto de los supervivientes. En el techo de la bóveda, justo encima de la pira, se encuentra todavía una esvástica y cuatro aspilleras por las que el humo del ritual fúnebre debía ascender, formando una columna.

Existían en el interior del castillo algunos «lugares vacíos», en donde los miembros destacados de la *Ahnenerbe* deberían ir colocando sus extraños objetos de culto y poder, obtenidos en excavaciones, expolios, e investigaciones arqueológicas por todo el mundo. El Santo Grial, la Santa Lanza de Longinos —de la cual tenía una copia en su habitación Himmler—, las calaveras de cristal halladas en Centroamérica, el Arca de la Alianza, el Bastón de Mando, la Piedra del Destino, son una buena muestra del repertorio. Algunas de ellas, como veremos más adelante, se consiguieron encontrar.

Al mando de todas esas pesquisas estaban tanto Hielscher como Von Sievers. De este último tenemos algunos datos más que interesantes. Sievers había sido acusado de crímenes contra la humanidad, y fue juzgado y ejecutado en

1948. Varios historiadores refieren el comportamiento extraño de Hielscher en el proceso de Nuremberg. Se negó a decir nada sobre la *Ahnenerbe* y acompañó a Sievers al patíbulo. El condenado escuchó con extraña indiferencia su condena a muerte y, acompañado por Hielscher, se hincó de rodillas mientras Hielscher entonaba los cánticos de una misa negra. Un himno final de adoración a los poderes del mal que aguardaban a su alma al otro lado de la tumba. Tal y como relatan sus cuidadores de celda: «Pronunció oraciones en una lengua desconocida, oraciones de un culto que nadie conocía y del que no habló jamás».

En cuanto a Hielscher, su final resultó oscuro. Se sabe que fue arrestado en Marburg en septiembre de 1944 por la Gestapo. Luego enviado a Berlín y liberado en diciembre de ese año. Tras testimoniar en Nuremberg a favor de Sievers, desapareció para siempre de la historia.

Podríamos saber mucho más sobre el secreto círculo ocultista del partido nazi y sus prácticas, si «aparecieran» los docu-

El castillo feudal de Wewelsburg era el centro espiritual de la jerarquía esotérica de las SS.

mentos que se guardaban en el edificio central de la *Ahnenerbe* o bien, los que estaban custodiados en Wewelsburg.

3.4. El tesoro secreto de la Orden Negra

En julio de 1943, cuando se inician los primeros bombardeos sobre las ciudades alemanas, Himmler ordena la creación de un «lugar de repliegue» y el 16 de agosto, la *Ahnenerbe* se establecerá definitivamente en Waischenfelf (Franconia). En los últimos días de abril de 1945, el centro fue desmantelado cuando los americanos ocuparon la ciudad, pero la rapidez con la que se desarrollaron los acontecimientos en los últimos días de la guerra hicieron imposible el encuentro de un nuevo asentamiento. Himmler, que tenía una obsesión realmente enfermiza por el misterio y el secreto, se había preocupado de destruir a tiempo los textos que dirigieron su conducta mágica. Por eso, en el camino de retirada se destruyeron miles de documentos, y otros tantos se perdieron por efecto de los bombardeos. Con ellos, una parte de la historia esotérica de la Alemania nazi se perdió también, silenciada por el fuego. O quizás no.

El Ejército Rojo se apoderó de muchas toneladas de expedientes nazis. Y parece ser que fueron en realidad los primeros en entrar en la sede central del *Ahnenerbe*. No se conoce aún la importancia de lo incautado. Y ni siquiera tras la caída del muro de Berlín y el «desmembramiento» del Servicio Secreto Soviético (KGB) se ha podido rasgar el velo que cubre los documentos clasificados de la *Ahnenerbe*. El FSB (actual servicio secreto ruso) acabó aportando a partir de 1995 multitud de documentos que dormían hacía medio siglo en sus archivos de la Segunda Guerra Mundial. Con ellos se pudieron desvelar múltiples enigmas, como el de los hijos de Eva Braun, amante de Hitler, o lo que pasó realmente con sus cadáveres una vez acabada la contienda. Sin embargo, sobre la cúpula ocultista nazi y sus expediciones o creencias, silencio.

En cualquier caso, como hemos visto, no solo de documentos se nutría la secta ocultista. Acaso, ¿qué sucedió con los objetos «de poder», valiosas reliquias arqueológicas y algunas piezas religiosas de índole sagrado, que sin ninguna duda poseyeron? Eso sin contar con los famosos tesoros nazis que estaban compuestos de cuadros, joyas y piedras preciosas, lingotes de oro, etc. objetos que siguen apareciendo día tras día, bien en cuevas aún inexploradas de Europa, bien en cajas blindadas subterráneas de bancos suizos o en viejos caserones y castillos de la vieja aristocracia europea.

Una pista nos la da el estudioso francés Jean Michel Angebert: «... Los investigadores han ubicado esa base secreta en la Tierra del Fuego (o en la Antártida), ya que el archipiélago fueguino, compuesto por un número incalculable de

En el sótano de Wewelsburg se guardaban las urnas con las cenizas de los miembros más secretos de las SS.

islas, constituye una guarida ideal para este tipo de instalación... Las investigaciones están más bien orientadas hacia los Alpes bávaros, con refugios construidos por los nazis como último reducto susceptible de ofrecer una resistencia prolongada. Para imaginar lo que hubiera podido ser esta fortaleza natural se puede establecer un paralelo con lo que los suizos han establecido en la villa de Martigny, donde el alto valle del Ródano se encuentra literalmente a salvo de todo riesgo de invasión. En 1945 Hitler no se sabe por qué razón, rechazó siempre irse al reducto alpino. Sin embargo, la región de Aussee, en el corazón de los Alpes austriacos, ofrece un refugio casi inexpugnable.

Según el gran «cazador» de nazis, Simón Wiesenthal, millares de hombres habrían comenzado a replegarse a esta región durante el año de 1945; el jefe de la Gestapo, Ernest Kaltenbrunner, se refugió en un chalet del pueblo, y la *Abwehr* llevó allí sus documentos secretos, sin hablar del famoso tesoro de la Alemania nazi, que jamás se ha podido encontrar y que se sitúa aquí y allá, prácticamente en toda Europa central».

Sin embargo el llamado por muchos, tesoro «espiritual» o central de la Orden Negra, podía haberse salvado e incluso haber sido ya descubierto, debido a las pistas dejadas por un inquietante suceso. En efecto, el 2 de mayo de 1945, un día después del suicidio de Hitler, un destacamento de elite de las SS compuesto únicamente por oficiales, interceptaba la ruta Innsbruck-Salzburgo, para permitir a un convoy que descendía del célebre *Berghof* —el nido de águilas alpino de Hitler—, abrirse camino en medio del avance aliado.

Este convoy desembocó en la encrucijada del Isar y su valle siete días más tarde, la misma noche en que Berlín se rendía a los aliados. Habiendo recogido a su paso elementos suficientes para su protección, la columna prosiguió su ruta en dirección a la alta montaña. Llegados al pie del macizo de Zillertal el grupo dejó «el cargamento», se disgregó y se dispersó, quedando únicamente un pequeño grupo escogido de oficiales de las SS. Tras una corta ceremonia a la luz de las antorchas recogieron un pesado cofre de plomo. Los responsables del misterioso cargamento tomaron el sendero que conducía al glaciar de Schleigeiss, situado al pie del Hochfeiler, una montaña de 3.000 metros de altitud. Fue allí, en la vertical de una cornisa, donde con toda probabilidad habrían sido enterrados los objetos sagrados.

Pero de nuevo, según Angebert, la aventura no terminó ahí, ya que no tardaron en propagarse rumores en la región, que atrajeron a numerosos curiosos que andaban a la búsqueda de tesoros materiales. Curiosamente la mayor parte de esos buscadores habrían de conocer una suerte poco envidiable. Casi todos aparecían horrorosamente mutilados, como el teniente austriaco Franz Gottliech, los alpinistas Helmuth Mayr y Ludwig Pichler, o incluso decapitados, como le ocurrió a Emmanuel Werba en 1952.

Bautizo de un bebé mediante el ritual de iniciación de las SS.

Supuestamente se trataría de un gran cofre metálico revestido con madera de roble y enterrado en el hielo de los glaciares. Y supuestamente también se calculaba que el cofre junto con su increíble contenido fuera devuelto por la propia morrena central del glaciar alrededor de los años 1990-95. Según muchos investigadores, una guardia compuesta de fieles de la Orden Negra, y que se renueva constantemente, velan alrededor de la montaña a la espera de recoger el preciado «cargamento». ¿Lo tienen ya en su poder?

Capítulo 4

Nazis en busca del Arca perdida

> Una cosa no es sagrada porque es buena. Es sagrada porque contiene un poder misterioso y terrible. Es tan poderosa para el bien o el mal como una simple descarga eléctrica. Si es mal usada, por importantes y comprensibles que sean las razones, las consecuencias pueden ser catastróficas para personas totalmente inocentes.
>
> RICHARD CAVENDISH, escritor británico

Es hora de adentrarnos en las apasionantes expediciones que buscaron objetos misteriosos y talismanes de poder para Hitler y su círculo ocultista, la *Ahnenerbe*. Antes hay que tener en cuenta el razonamiento que acabamos de recordar del escritor británico Richard Cavendish. La anterior cita se recoge en su obra *El Rey Arturo y el Grial*, y nos ayudará a comprender por qué los nazis buscaban reliquias sagradas que les ayudaran en su conquista del mundo.

Habría decenas, no exageramos, de preciados objetos que los nazis buscaron, y en algunos casos encontraron, en su afán de lograr el dominio absoluto a través de su degenerada ideología. Las generaciones posteriores de alemanes, como futuros caballeros del grial u «hombres puros», deberían portar esos objetos que representarían los símbolos sagrados de su religión y, a la vez, las virtudes de su supuesta superioridad racial.

4.1. Las «Calaveras de la Diosa de la Muerte»

La última reliquia de la que tenemos información nos viene del diario ruso *Pravda*. Probablemente sea una filtración de los archivos secretos de la *Ahnenerbe*, pero en noviembre de 2002 este periódico publicaba una noticia inquietante. Los nazis habían intentado robar las famosas «Calaveras de cristal» de Centroamérica.

En 1927, una expedición cursada por ingleses y por el famoso arqueólogo Albert Mitchell, descubrió unos misteriosos cráneos de cristal en Centroamérica. Penetrando en una antigua ciudad maya situada entre las selvas tropicales de la península del Yucatán (hoy Belize), decidieron quemar treinta y tres hectáreas de los bosques que cubrían unos edificios antiguos. Cuándo el humo finalmente se disipó, la expedición vio una escena increíble: «Surgieron las ruinas de piedra de una pirámide, las murallas de una ciudad oculta, y un enorme anfiteatro que podría dar cabida a varios miles de espectadores». Durante la excavación de las ruinas, la expedición de Mitchell descubrió los cráneos de cristal. Estos fueron llevados a un museo brasileño.

En 1943, después de una tentativa por agentes alemanes del *Ahnenerbe* para liberar de la selva los pétreos restos, estos fueron detenidos y durante un severo interrogatorio, confesaron que habían sido mandados a Sudamérica con la misión de capturar las «Calaveras de cristal de la Diosa de la Muerte». La captura de la codiciosa pieza fue dirigida por Karl María Willigut. Al parecer tenían un interés inusitado y particular en los métodos mágicos usados por los sacerdotes paganos de lo que, para ellos, eran restos sagrados de la mítica Atlantis.

4.2. El «Martillo de Wotan»

También el Martillo de Wotan, como símbolo supremo del dios nórdico de la guerra, fue buscado por todo el planeta. Ese icono conocido en realidad como el «Bastón de Mando», fue persegido por expediciones japonesas, indias, francesas e inglesas ya desde los años veinte.

Las SS de Hitler iniciaron su búsqueda en Sudamérica donde según la tradición y un viejo poema, decían que había sido llevado: «En qué lejana cordillera podrá encontrar a la escondida Piedra de la Sabiduría ancestral que mencionan los versos de los veinte ancianos, de la Isla Blanca (Thule) y de la Estrella Polar. Sobre la Montaña del Sol con su triángulo de luz surge la presencia negra del "Bastón Austral", en la Armórica antigua que en el Sur está. Solo Parsifal, el ángel, por los mares irá con los tres Caballeros del número impar, en la Nave Sagrada y con el vaso del Santo Grial, por el Océano... un largo viaje que realizará hasta las puertas secretas de un silencioso país que Argentum se llama y siempre será».

Pero por fortuna alguien se les adelantó. Se trataba de Orfelio Ulises, que regresaba a Argentina tras ocho años de estancia en algunos templos budistas del Himalaya. Allí, algunos lamas e iniciados que decían ser «Maestros de Shambhala», le revelaron el paradero exacto del Bastón, así como sus poderes ocultos y la manera de usarlos. Efectivamente, al poco de su regreso comenzó su búsqueda en el Cerro del Uritorco (provincia de Córdoba, Argentina), y una mañana de 1934, cuando las huestes negras de Hitler estaban estrechando el cerco, Orfelio encontró el tesoro excavando al pie de la montaña. Apareció junto a otros dos objetos, una piedra circular parecida a un moledor y un tercero que el descubridor quiso que quedara enterrado allí.

El bastón fue encontrado partido en tres trozos de 43, 40 y 28 centímetros. Mide en total 1,11 metros de longitud y está tallado en forma cilíndrica. Pesa algo más de 4,5 kilogramos, pese a que por su apariencia y por la sensación que causa al tenerlo entre las manos, es de que posee mayor entidad. Esculpido en basalto, el pulido de la piedra es característico del período neolítico, por lo cual se calcula su antigüedad en 8.000 años a.C., lo que desconcierta notablemente a los historiadores y arqueólogos.

Los indios Comechingones, antigua tribu que dominó extensas regiones del Norte y del Centro de la Argentina, conocieron «la llegada de un hombre blanco y barbado que proveniente de tierras lejanas, habría muerto en la Montaña Sagrada y que se habría convertido en el eterno guardián de la Piedra de la Sabiduría». Curiosamente, en 1830 un ambicioso jefe Araucano de nombre Calfucura, que conocía estas leyendas, encabezó búsquedas por las sierras de la Ventana, Balcarce, Pillahuincó y Córdoba. Él sabía que quien poseyera el Bastón, dominaría el mundo.

4.3. La «Piedra del Destino» gobierna las naciones

Pero, aunque parezca increíble, los arqueólogos nazis buscaron con ahínco piezas sagradas que pertenecían a la antigua religión hebrea, o sea, la religión de sus mayores enemigos, los judíos. Entre esos objetos destacaban la «Piedra del Destino» y, sobre todo, la mítica Arca de la Alianza.

En la Biblia leemos el siguiente pasaje: «Jacob se dirigía a Haran. Llegado a cierto lugar pasó allí la noche. Y tomando una de las piedras del lugar, se la puso por cabezal y se acostó en aquel sitio. Y tuvo un sueño: vio Jacob una escalera que se apoyaba en la tierra y cuya cima tocaba el cielo; y los ángeles de Dios subían y bajaban por ella... Y sobre ella estaba Yahvé que le dijo a Jacob: «Yo soy Yahvé, el Dios de tu padre Abraham... la tierra en la que estás acostado se la daré a ti y a tu descendencia, ella será como el polvo de la tierra, te extenderás hacia el Oriente y el Occidente... y en ti y tu descendencia serán benditas todas las tribus de la tierra...

Cuando Jacob despertó, tomo la piedra y erigió en monumento derramando aceite sobre ella».

Posteriormente, Jacob y los suyos marchan a Egipto, donde ceden la piedra a José. En el 1.453 a.C. se produce el éxodo de Egipto hacia la tierra prometida bajo la batuta de Moisés, que se lleva consigo la Piedra y otros tesoros. Precisamente en el desierto esta vuelve a mostrar sus características mágicas cuando, tras golpearla Moisés con su bastón, comienza a manar agua de su interior. Años después, el misterioso símbolo pétreo entra en Canaan, donde durante 800 años es utilizada para la coronación de los reyes de Israel. Incluso en esta época es llevado al Templo de Salomón, en Jerusalén, para servir de pedestal al Arca de la Alianza.

Sin embargo, el destino de la Piedra se cumpliría tal y como fue anunciado a Jacob, obligando a su descendencia, perteneciente a la tribu de Judá, a salir de la tierra prometida tras la invasión de Jerusalén por el rey de Babilonia, Nabuconodosor, que en el año 607 a.C.[1] se hizo con el Templo de Salomón. El profeta Jeremías, que era descendiente directo de Jacob y tenía acceso a los tesoros del templo por ser el jefe de la tribu de Judá, huyó a Egipto buscando refugio. Una vez llegó a la ciudad egipcia de Taphnis, preparó un largo viaje hacia los «confines del mundo», donde no pudieran ser encontrados ni él ni la descendencia de la casa de Judá. Gracias a la ayuda del faraón, comienza Jeremías su singladura a través del Mar Mediterráneo, llevando consigo la Piedra y a toda su gente.

Por las marcas halladas en la *roca mágica* se sabe que fue disminuida de tamaño, probablemente para hacerla más manejable durante el viaje. Después de una breve estancia en Sicilia, llegan a las costas del Noroeste peninsular, donde fundan la ciudad de Brigance, actualmente llamada La Coruña.

---

[1] Actualmente muchos historiadores sitúan la destrucción del Templo en el año 587 a.C.

Tras una época convulsa de numerosas luchas, Thanaho, un líder irlandés, decide mandar unos emisarios para visitar al rey de Galicia, con la intención de que este nombre un rey. El elegido es Simón Breco, que como prueba de amistad se lleva consigo la «Piedra del Destino», utilizada para la coronación de los reyes celtas. Desde entonces los sucesivos monarcas irlandeses serían coronados con la mágica roca en la colina irlandesa de Tara.

La tradición asegura que el aspirante al trono debía sentarse sobre la piedra. Era entonces cuando los poderes de la misma actuaban, aceptando o no al nuevo monarca. Si la persona era la «elegida», la mole pétrea lo recibía con un sonido ronco. La piedra será denominada allí *Lia Fail*, que en idioma gaélico significa «la piedra que habla».

La dinastía de reyes irlandeses continuó durante más de 1.040 años hasta que el rey Fergus, tras muchas batallas, se llevó la piedra a las costas escocesas. Así la roca descansó en el altar mayor de la abadía de Scone (Perthshire, Escocia) donde los reyes escoceses fueron coronados durante más de 700 años. Más tarde, en 1296, fue robada por Eduardo I de Inglaterra que la trasladó a la abadía de Westminster, en Londres. Desde entonces, residía en la parte baja de la silla de coronación real inglesa, y era usada como símbolo talismán en cada nueva coronación real, hasta que en fechas recientes volvió a su antiguo emplazamiento en la abadía escocesa de Scone.

La «Piedra del Destino» está formada por arenisca amarilla, pesa unos 152 kg. y tiene una cruz latina grabada en fechas recientes, además de una serie de marcas por haber sido trabajada con cincel en una de sus caras. En su parte superior se observa una ancha y desgastada grieta, debido sin duda al método de transporte que consistía, básicamente, en unas varas de madera que se hacían pasar por los dos anillos de hierro que sobresalen de cada extremo de la piedra.

Según los expertos, si la Piedra estuvo en las islas británicas unos 1.800 años no se justifica su enorme desgaste en

La Piedra del Destino en su actual emplazamiento en la Abadía de Scone (Escocia).

Bajo el Trono de la Coronación de la Abadía de Westminster puede observarse la mítica Piedra del Destino, aunque ahora ha vuelto al anterior emplazamiento, la Abadía de Scone.

un periodo de tiempo tan corto, sobre todo teniendo en cuenta los pocos traslados a los que fue sometida. La conclusión es que debió ser utilizada en tiempos más remotos todavía.

La piedra está asociada al destino de las naciones y concretamente al destino histórico del pueblo judío. Por ello Hitler y su camarilla intentaron hacerse con ella, pero gracias a la importancia que la familia real inglesa otorgó a la Piedra, es un hecho bien conocido que cuando la *Luftwaffe* alemana bombardeaba Londres en los inicios de la Segunda Guerra Mundial, se llevó a cabo un plan de contingencia con objeto de asegurar la reliquia. De su custodia se encargó un grupo secreto de diez hombres, al mando de los cuales se encontraba el primer ministro canadiense. Ni siquiera para proteger las joyas de la corona británica se urgió un plan de esta envergadura.

Así pues, Hitler volvió a quedarse a las puertas de conseguir también esta milenaria reliquia. Finalmente en 1996 fue devuelta de nuevo a los escoceses por el primer ministro ingles John Mayor. Actualmente puede ser contemplada de nuevo en la abadía de Scone (Escocia).

4.4. Nazis en busca del Arca de la Alianza

El Arca de la Alianza era el objeto más poderoso del antiguo pueblo de Israel. Usado como «máquina de guerra» en el campo de batalla y como símbolo del «pacto» que el dios hebreo había hecho con su pueblo, servía como recipiente para guardar las famosas Tablas de los Diez Mandamientos entre otras cosas como el Maná, la Vara de Aarón, etc.

Moisés la construyó siguiendo las instrucciones y el preciso diseño que Yahvé le dio por revelación divina. Era una especie de cofre rectangular tallado en madera de acacia y revestida de planchas de oro en su exterior. Tenía también dos aros a ambos lados. Estos servían para pasar unas varas finamente labradas. Así podía ser transportada por el desierto sin ser tocada, pues en caso contrario producía la muerte. Solo los sacerdotes pertenecientes a la tribu de los levitas tenían los conocimientos suficientes para poder manipularla, y eso solo en el caso de que llevaran la indumentaria adecuada.

Por último, la pieza más importante del Arca era el «Propiciatorio». Una especie de plancha o tapa superior forjada en oro macizo de gran pureza. A su alrededor tenía unos artísticos bordes en forma de guirnalda, y sobre su cubierta, el dios hebreo mandó que se labraran a martillo la figura de dos querubines. Si hacemos caso de nuevo a la Biblia, estos estaban arrodillados con los rostros vueltos hacia la tierra. Sus alas estaban extendidas llegándose a tocar y tapando así el «Propiciatorio», tal y como puede verse en la película *Indiana Jones en busca del Arca perdida*.

En su travesía por el desierto durante cuarenta años, el sagrado arcón ofreció siempre protección al pueblo judío. Lo cierto es que según la tradición «el trono de Dios» se posaba sobre la misma generando una «luz celestial» que brillaba sobre los querubines. En la Biblia puede leerse cómo durante el día ese fenómeno aparecía bajo la apariencia de una columna de humo serpenteante, mientras que por la noche parecía una estela llameante.

El poder del Arca era inimaginable, siendo usado por los hebreos en múltiples batallas. En el libro bíblico de Josué puede verse cómo Dios mismo emergió del Arca de la Alianza derribando así los muros de Jericó. Tras esa victoria, los israelitas pusieron su mirada en la ciudad de Hai. Para su sorpresa sufrieron una aplastante derrota. La explicación es simple. En la batalla de Jericó el dios hebreo Yahvé había prohibido tomar botín alguno. Sin embargo, un soldado de Israel robó parte del despojo y lo escondió. Solo cuando el ladrón fue descubierto y ejecutado los israelitas pudieron seguir cosechando victorias en el terreno militar.

Era evidente que el Arca servía solo al pueblo que obedeciera las leyes de Yahvé. Sirva como ejemplo la captura del Arca por los filisteos. Estos se la llevaron al Templo de

Dagon, divinidad semihumana en forma de pez. Cada mañana, cuando los sacerdotes entraban en el recinto, encontraban al icono del dios pez caído boca abajo. Según el historiador Flavio Josefo, los filisteos sufrieron todo tipo de pestes. Tal fue el terror que decidieron devolverla a sus dueños. Pero con las prisas, los israelíes olvidaron una de las normas del Arca, esta solo podía ser mirada directamente por el Sumo Sacerdote. Fue entonces, cuando la incontemplable Arca de Dios, emitió una tremenda energía que fulminó a un buen número de ellos.

Todas estas historias hicieron que en fechas cercanas a la Segunda Guerra Mundial, los nazis comenzaran a buscarla en diversas expediciones arqueológicas por Oriente Medio. Pero la clave era saber dónde deberían comenzar a excavar.

En realidad, el paradero del Arca es un gran misterio, nadie sabe con exactitud cuándo y en qué circunstancias desapareció. La última referencia histórica nos lleva a la época cuando el rey persa Nabuconodosor invade Jerusalén y destruye el Primer Templo de Salomón. Curiosamente, como hemos visto, coincide con el éxodo de otros objetos sagrados del templo como la «Piedra del Destino». No se dice a dónde fue trasladada. A partir de ahí silencio total.

Muchos historiadores han pensado que el faraón Sisaq (conocido como Sesonq I, fundador de la dinastía libia) la había enterrado. Concretamente en el año 8 a.C. invadió Judá y capturó varias ciudades fortificadas, dirigiendo su mirada hacia Jerusalén. Los registros históricos dicen que «Egipto despojó a la ciudad santa de sus tesoros». Lo que significa que Sisaq profanó el Templo de Salomón. Luego el Arca podría estar enterrada en Libia.

Sin embargo, la posibilidad oficial más aceptada es la de que está sepultada en alguna de las muchas galerías semicegadas que aún están por descubrirse bajo el monte Moria. El problema es que las excavaciones en ese lugar son prácticamente imposibles, debido a que allí se levanta un lugar sagrado para los musulmanes, la Cúpula de la Roca y la Mezquita de *Al-Aqsa*.

Sin embargo, hace unos años el investigador Graham Hancock abrió una nueva posibilidad, y es que la famosa tribu perdida de Israel fueran los judíos *falashas* que aún viven en Etiopía. Estos judíos son descendientes directos de la Reina de Saba, y se supone que un grupo secreto de ellos custodiaría la preciada reliquia, que llaman la *Tabotha Sión*, cerca de la ciudad de Axum. Hay incluso quien dice haberla visto con el permiso de los monjes que la custodian.

Parece ser que antes de la Segunda Guerra Mundial los nazis hicieron un descubrimiento inquietante. Un arqueólogo de las SS encontraba en Venecia una pista bastante sólida acerca del Arca. Al parecer los templarios la habían ocultado en un cementerio de Túnez en 1308. Esto hizo que se precipitara la Operación Trompetas de Jericó.

Ahora bien, Hitler quería valerse de ella para decantar el signo de la contienda a su favor, tal y como intentó con otras reliquias sagradas. Pero el Arca no es un objeto cualquiera, y como hemos visto solo «sirve» a quien adora a su Dios y tiene los conocimientos para manipularla. Por eso Himmler comprendió que solo un cabalista judío podía tener ese conocimiento. Así que encargó a Von Kessler, héroe de guerra nazi, la tarea. Este localizó a un famoso cabalista en el campo de concentración de Auschwitz, y le ofreció liberar a su familia a cambio de que pusieran el poder del Arca al servicio de Alemania. El judío aceptó.

A partir de ahí se suceden unos sorprendentes acontecimientos. La siniestra comitiva recorre la España deprimida de los años de hambre para localizar el «nombre secreto de Dios». Clave necesaria para hacer «funcionar» la reliquia sagrada. Supuestamente este conocimiento había quedado transmitido en las comunidades judías de Toledo.

Entonces las circunstancias se precipitan. Según el investigador español José Antonio Solís, el almirante Wilhelm Canaris —que era el jefe del Abwehr, servicio secreto nazi—

visitó un par de veces el Museo Arqueológico Nacional, donde se interesó por varias piezas egipcias. Esto lo sabemos ya que fue acompañado por agentes del antiguo SIM (Servicio de Inteligencia Militar español). Concretamente Canaris abrió una vieja carpeta de cuero, y pidió una serie de piezas traídas en 1871 desde Egipto por la fragata española Arapiles. Se llamó a un fotógrafo y las piezas desaparecieron del museo.

Curiosamente, semanas más tarde comenzaron las excavaciones en busca del Arca de la Alianza al norte de Egipto. Al frente de las mismas estaba Herbert Braum, un arqueólogo de la *Ahnenerbe*. Era el año 1938, la guerra estaba a punto de comenzar, y es justo ahí que perdemos el rastro de esta inquietante información. Actualmente seguimos investigando en ello.

El Arca de la Alianza junto con el propiciatorio (la tapa superior), servían de instrumento para comunicarse con el dios hebreo.

4.5. El poder de la Lanza de Longinos

Pero sin duda, si hay una tradición esotérica occidental que ha arrastrado la enfebrecida imaginación de las gentes con mayor fuerza, es la que narra la búsqueda de un oscuro objeto conocido como «Grial». Esa reliquia era ya conocida desde tiempos inmemoriales mucho antes de Jesús, sin embargo la tradición se cristianizó, al menos en Occidente, transformándolo en el Santo Cáliz de la última cena.

La tradición griálica, asociada al mito del Rey Arturo y sus caballeros del Santo Grial, reúne dos objetos de poder increíble y que no deben ir separados. Uno es el propio Grial, y el otro es la Sagrada Lanza: la llamada «Lanza de Longinos».

Según la tradición cristiana, José de Arimatea guardó la Santa Copa en la que Jesús había consagrado el pan y el vino, y a la vez recogió en ella la sangre que brotó de la herida que el soldado romano Longinos le produjo en la cruz. Así, tras la Resurrección, ese rico judío conservó el citado vaso junto al palo largo que llevaba en un extremo el correspondiente hierro puntiagudo y cortante que, a manera de cuchilla, había abierto el costado del Hijo de Dios.

Estas reliquias fueron llamadas el «Santo Grial» y la «Santa Lanza», respectivamente. Los posteriores viajes de José de Arimatea portando esos objetos serían tema de abundantes relatos folclóricos y leyendas en casi toda Europa. Se cree que la palabra Grial se deriva de *graduale* (poco a poco, paso a paso) o bien *gradale* (vaso en lengua occitana). La literatura medieval ha confirmado siempre que se trata del cáliz utilizado por Jesús en la Última Cena, y el que José de Arimatea habría traído a occidente.

La búsqueda del Santo Grial ha constituido el tema fundamental del ciclo bretón, representado así por los libros de caballería de Chrètien de Troyes. Este poeta francés acabó vinculando hacia el año 1150 el destino de la Santa Lanza y el Santo Grial con tres de los Caballeros de la Tabla Redonda: Gawain, Perceval y Lanzarote y, a la vez, con la aventura del mítico Rey Arturo.

Para el especialista J. M. Romaña: «Al margen de esos relatos —basados en realidad sobre tradiciones celtas y, a un tiempo, en fragmentos de hechos históricos—, se creyó que la búsqueda del Grial era capaz de producir un gradual desarrollo de la vida interior del alma, partiendo de la inactividad hasta un muy positivo despertar de la espiritualidad. En paralelo ha subsistido la historia de la Lanza que, al sobrevivir a los avatares de los siglos, pasó de manos dignas a manos perversas. La leyenda señalaba que su poseedor adquiría instantáneamente un poder relevante, y este sería usado tanto para el bien como para el mal. Hitler inflamó su mente enferma de gloria con todas estas historias durante su estancia en Viena».

Y lo cierto es que dicha lanza no había desaparecido de la historia, sino que se conservaba en el palacio imperial del Hofburg, en Viena. Exactamente donde Hitler podía visitarla todos los días. Como así sucedió un inquietante y ventoso día de diciembre. Debido al mal tiempo y a la precaria situación del bohemio pintor de postales, este había decidido guarecerse de la lluvia en el interior del palacio. Una vez dentro, sucedió lo imprevisto. Hitler había llegado a la llamada «Casa del Tesoro» y se encontraba ensimismado mirando las antiguas joyas imperiales, al igual que un grupo de turistas que estaban realizando una visita guiada. Veamos qué sucedió según relataría años más tarde:

«Aquellos extranjeros se detuvieron casi enseguida delante del lugar en el que me encontraba, mientras su guía señalaba una antigua lanza. Al principio no me molesté en escuchar lo que el experto decía acerca de ella, ya que estaba muy ocupado con el pensamiento de que aquel grupo no hacía más que invadir la intimidad de mis disquisiciones torturadas. Y entonces oí las palabras que iban a transformar toda mi vida: existe una leyenda asociada a esta Lanza que dice que cualquiera que la reclame y resuelva sus enigmas, tendrá el destino del mundo en sus manos, para lo bueno o para lo malo».

La solitaria lanza de hierro ennegrecida por el paso del tiempo descansaba en un lecho de terciopelo rojo dentro de una caja abierta de cuero. La larga y afilada punta se sostenía por unos rebordes de metal en forma de alas de paloma. Dentro de una abertura central había un clavo forjado asegurado por un puño enrollado con alambre metálico. En el lado de la parte inferior de la base había engastadas pequeñas cruces doradas.

Según Hitler: «Supe que aquel era un momento importante de mi vida... me quedé muy quieto durante unos minutos contemplando la Lanza y me olvidé del lugar en el que me encontraba. Parecía poseer cierto significado oculto que se me escapaba, un significado que de algún modo ya conocía... me sentía como si la hubiera sostenido en las manos en algún siglo anterior, como si yo mismo la hubiera reclamado para mí como talismán de poder y hubiera tenido el destino del mundo en las manos. ¿Cómo era posible aquello? ¿Qué clase de locura se estaba apoderando de mi mente y estaba creando un tumulto en mi pecho?»

Al día siguiente Hitler comenzó una frenética búsqueda de datos acerca de la historia de la Lanza en la inmensa biblioteca imperial del *Hofburg*. Quería saber qué personajes históricos la habían tenido en su poder. Comprobó que la primera referencia escrita de la misma aparecía en una antigua crónica sajona, donde se relataba cómo Oton obtuvo una apabullante victoria contra las hordas mongolas. De no haber sido así, los legendarios jinetes arqueros venidos del este habrían llevado la destrucción al corazón de Europa. Posteriormente Oton se proclamó Santo Emperador Romano ante el Papa Juan XII, para lo cual se arrodilló ante él mientras era bendecido con la Santa Lanza. También Constantino «el Grande» dijo que había sido «guiado por la Providencia» cuando sostenía la Lanza en la famosa batalla del puente Milvio, a las afueras de Roma. Esto hizo que el imperio romano se asentase definitivamente y además, logró proclamar el cristianismo como religión oficial de Roma.

A Hitler le impresionó comprobar que la Lanza había cambiado de manos generación tras generación, en una cadena de personas que la reclamaban y que la usaban con objetivos siempre distintos. Personajes como Alarico «el Valiente», un salvaje converso al cristianismo que demandó la Lanza tras saquear Roma. Justiniano, el fanático absolutista y religioso que reconquistó los territorios del antiguo Imperio Romano, levantó la Lanza al ordenar el cierre de las «Escuelas de Atenas» y exiliar a los estudiantes griegos, fatal decisión que privó a Europa del pensamiento griego. O el gran Carlomagno, que había fundado toda su dinastía sobre la base de la Lanza y su leyenda acerca del destino histórico del mundo.

Pero más impresionante aún es el fatal destino asociado a la propia Lanza. Carlomagno había vivido y dormido con la Lanza al alcance de su mano y solo cuando la dejó caer accidentalmente, de regreso de su última campaña victoriosa, sus hombres lo consideraron un mal presagio, como así fue. Murió al poco tiempo. Por su parte, Federico «Barbarroja», que pretendía reconstruir el Imperio Romano, llegó a obtener victorias fulgurantes conquistando toda Italia ayudado por el preciado talismán. Sin embargo, su suerte cambió cuando atravesó un río en Sicilia y la Lanza se le resbaló de las manos. Según rezan las crónicas, fue el mismo instante en el que murió.

En los últimos quinientos años nadie le dio ninguna importancia, a excepción de Napoleón naturalmente, que la intentó reclamar después de la batalla de Austerlitz. Afortunadamente había sido sacada en secreto de Nuremberg y llevada clandestinamente a Viena, con el fin de mantenerla fuera del alcance de sus manos.

Volviendo a la estancia de Hitler en Viena, recordemos que solía acercarse a la trastienda de un viejo librero que le proporcionaba literatura y conocimientos ocultistas, además de métodos no precisamente naturales para acrecentar sus «capacidades mentales». La destartalada edición de Parsifal encuadernada en cuero que le había comprado lo había causado una profunda impresión al comprobar en ella tantas referencias veladas a la reencarnación. Desde los tiempos juveniles de Linz ya había mostrado un extraordinario interés por descubrir la teórica grandeza de sus vidas anteriores en este planeta. Estaba decidido a usar las drogas como un rápido medio de acercarse a ese conocimiento, y nadie le iba a detener.

En una de sus experiencias bajo los efectos de los alucinógenos, Hitler empezó a ver, a modo de silenciosos flashes, paisajes sureños italianos con gente vestida con ropas medievales, lo que unido a las armas y los utensilios de la vida diaria le permitió centrar la época entre los siglos IX y X. Estaba llenó de impaciencia por hallar la hipotética grandiosidad de sus propias vidas anteriores. No sabía si en sus reencarnaciones había alcanzado el rango de un líder de los caballeros teutones, el de un destacado emperador de Roma, o tal vez fue el rey visigodo Alarico I, que en el año 410 saqueó la Ciudad Eterna provocando en Occidente una gran conmoción. Pero no, la dilatación mental lograda a base de los numerosos alcaloides del peyote le abriría los ojos de la realidad más cruda; entre sus históricas encarnaciones no encontró ninguna del calibre de un envidiable teutón rubio (que con tanta impaciencia llegó a anticipar), y tampoco a un todopoderoso dirigente. Su biografía espiritual se centró solo en ser la reencarnación del Landulf II de Capua.

Pero ¿quién era este personaje? Descifró imágenes, todas aisladas y momentáneas de una zona europea bastante cálida. Así reconoció al fin, que ese personaje histórico había sido camuflado por Wagner bajo el nombre de Klingsor en su ópera *Parsifal*, donde narra la búsqueda del Santo Grial. Se trataba del citado Landulf, dueño y señor en la novena centuria de la era cristiana de la denominada *Terra di Labour*, un territorio que por entonces se extendía desde Calabria hasta Nápoles, lo que incluía la isla de Capri, y que al cruzar el mar llegaba hasta Sicilia. Y lo que es peor, era uno de los más terroríficos magos negros de la historia y sin duda el peor de la Edad Media. Multitud de leyendas locales aún hoy en día, hablan de los espeluznantes rituales humanos que este personaje celebraba en su elevado castillo de Kalot, situado en Monte Castello (Sicilia).

Según confió en esa época al matemático y amigo Johannes Stein, Hitler se llevó una gran sorpresa cuando en lugar de verse a sí mismo como el añorado héroe germánico, descubrió quién había sido en otra vida anterior. Uno de los personajes más terribles en la historia del cristianismo.

Los años fueron pasando y por fin, ya en 1938, Hitler logra anexionarse Austria como parte del III Reich. Su llegada a Viena fue apoteósica, y con ella su antiguo y anhelado deseo de poseer el talismán maléfico se cumplía fatalmente.

La misteriosa Lanza de Longinos tal y como se encontraba en el Palacio del Hofburg en el verano de 2001.

El *Führer* siempre temió que el talismán de poder se le escapara en el último instante. No se repitió el caso de Napoleón Bonaparte, porque gracias a un minucioso plan, una guardia de soldados de las SS se puso delante del *Hofburg* ante la impotencia de la policía austriaca. Todo se iría desarrollando según lo previsto, y el autócrata pudo pasar revista a las tropas frente a ese palacio donde debía reclamar la «Lanza del Destino» como suya.

El alcalde Walter Buch, suegro de Martin Bormann —que se convertiría en la sombra de Hitler en los últimos días de la guerra—, estaba presente para organizar la entrega legal de los preciados símbolos del antiguo imperio germánico que incluían la *Heilige Lance* (Lanza Sagrada). Su tarea consistía en supervisar la devolución de la Lanza de Longinos a través de la frontera a Nuremberg. Pero Walter Buch, un ocultista del grupo Thule que era el responsable de la eliminación de la francmasonería en la Alemania nazi, tenía algo más que un interés legal en la Lanza del Destino, ya que se le había permitido compartir el secreto de Hitler concerniente a sus visiones ante el talismán del destino del mundo.

Hitler entró en la «Casa del Tesoro» con Heinrich Himmler, mientras Kaltenbrunner, Von Sievers y Walter Buch esperaban fuera con los asistentes de Hitler y los miembros de su cuerpo de guardaespaldas. Poco después, Heinrich Himmler reapareció por la estrecha escalera, dejando al *Führer* completamente solo. No se sabe lo que ocurrió durante la hora larga que Hitler pasó en soledad con el talismán del destino histórico del mundo, destino que ahora había pasado a sus manos.

Lo que sí se sabe es que la Santa Lanza y demás objetos se cargaron en un tren blindado provisto de una guardia de las SS, con sus negros uniformes y armada hasta los dientes. El referido convoy ferroviario atravesó la ya antigua frontera austro alemana el 13 de octubre de 1938. En medio de un extraordinario ceremonial y con las calles de Nuremberg —centro espiritual del nazismo— galardonadas con flores, banderas y esvásticas por doquier, el tesoro de los Habsburgo acabó instalado en el vestíbulo de la iglesia de Santa Catalina. Años después, ante la posibilidad de que las reliquias fueran dañadas o destruidas por los bombardeos, se decidió llevarlas a un refugio subterráneo seguro.

Entre los primeros visitantes que accedieron a la citada iglesia se contaron algunos de los miembros más antiguos de la Sociedad Thule, ahora incorporados a la oficina de ocultismo de Heinrich Himmler, la *Ahnenerbe*. Muy pocos sabían, Karl Haushofer entre ellos, que lo único destacado entre el extraño surtido de reliquias religiosas y antigüedades germánicas era la Santa Lanza. El profesor de geopolítica se dio perfecta cuenta de que la llegada a Alemania de semejante talismán mágico iba a constituir la auténtica cuenta atrás para el inicio de las hostilidades en Europa. Desgraciadamente así fue. Un año más tarde, la Segunda Guerra Mundial comenzaba.

Capítulo 5

El Santo Grial de la Orden Negra

> Sobre un espigón verde esmeralda
> una piedra de luz
> un objeto llamado Grial
> del mundo supremo ideal.
>
> WOLFRAM VON ESCHENBACH

Las más antiguas tradiciones aseguran que una fabulosa esmeralda de luz se desprendió de la frente de Lucifer. Posteriormente, la tradición venida de Oriente se cristianizaría, transformando la Piedra en la Copa Sagrada de Jesús. Estas dos leyendas se hicieron realidad en el legendario castillo de Montségur (en el Pirineo francés) y siete siglos más tarde los nazis entrarían a formar parte del mito del Santo Grial, buscándolo en suelo cátaro.

El 31 de diciembre de 1999 nos encontrábamos en el pueblecillo de alta montaña de Montségur. Eran las diez de la noche. Mi compañero de aventuras, Miguel Pedrero, se calaba un grueso abrigo y un pasamontañas de lana. No era para menos, la nieve y el duro viento reinante en la zona habían hecho descender en extremo la temperatura. Pero estábamos ansiosos por llegar allí arriba y comprobar si, en esa fecha tan señalada, la tradición cátara seguía viva.

Iniciamos el ascenso a la montaña sagrada en compañía de una tercera persona. La oscuridad nos rodeaba en medio de esa noche cerrada de frío invierno. Apenas podíamos advertir, a través de la luz de nuestras linternas, las placas de hielo y nieve que pisábamos. Avanzábamos a ciegas, ignorantes de los desfiladeros que se encontraban en cada recodo del camino. Finalmente, logramos llegar a la cumbre donde se encuentra el castillo del Grial: Montségur.

Accedimos a su interior en el más absoluto silencio. De pronto, unas sombras parecieron acercarse hacia nosotros, mientras unos enormes perros (de raza Doberman según pudimos comprobar posteriormente) rompían la tranquilidad del lugar con unos amenazadores ladridos. Una vez normalizada la situación, descubrimos que varios grupos de alemanes y franceses se disponían a celebrar la llegada del año nuevo de una manera muy especial. Sobre la media noche se reunieron en una zona del castillo formando un círculo que iluminaron con una gran cantidad de velas, a la vez que comenzaron a entonar una especie de extraños cánticos. Seguramente, algo parecido ocurrió 750 años antes, cuando los últimos cátaros y caballeros del Grial defendieron el lugar del asedio.

Castillo cátaro de Montségur, donde supuestamente era custodiado el Grial.

5.1. La agonía de los «hombres puros»

Hacia el año 1200 existía en el Languedoc (sudeste de Francia) una extraña corriente religiosa. Sus seguidores eran llamados «cátaros» u «hombres buenos». Fundamentalmente maniqueístas, creían que el mundo se dividía en dos corrientes opuestas: la del bien y la del mal. A pesar de pertenecer a la Iglesia de Roma, no creían en la muerte de Jesús a manos de los romanos, por ello nunca usaron el símbolo de la cruz.

Los sacerdotes del movimiento cátaro eran denominados «los perfectos» u «hombres puros». Con sus largos trajes negros recorrían los caminos por parejas ayudando a todo el que se lo pidiera, tanto en las labores del campo como a nivel espiritual. Para esto último llevaban siempre una copia del evangelio de San Juan, el único auténtico para ellos. Con esa filosofía de vida, unida a su austeridad y total desapego de las riquezas materiales, se ganaron grandes simpatías, tanto de los caballeros y nobles como del pueblo llano, donde eran aceptados plenamente.

En el mundo de opresión, injusticias y sufrimientos de la Baja Edad Media, su atractiva filosofía liberadora pronto se propagó a casi toda Europa, contando con miles de adeptos en Francia, Alemania, el norte de Italia y España, lo que preocupó seriamente al poder de Roma. Si a esto unimos el que se dieran a conocer algunas de sus más profundas creencias, como la de que Lucifer, el portador de luz al que ellos llamaban Luzbel, era un ser benefactor para el hombre, tenemos los motivos por los que el Papa Inocencio III los declaró secta herética.

Así, en enero de 1208 comienza la cruzada albigense, el asedio y genocidio de los más importantes enclaves cátaros. Para ello el Papa contó con el apoyo militar del rey de Francia, Enrique IV. La resistencia cátara fue cayendo ciudad tras ciudad a lo largo de más de 40 años. Por ejemplo, en el saqueo de Béziers se calcula que en un solo día fueron pasados a cuchillo y quemados más de siete mil almas entre hombres, mujeres, niños y ancianos.

Cuando uno de los cruzados le preguntó al Sumo Pontífice cómo distinguirían a los herejes de los cristianos, este respondió: «¡Matadlos a todos, que Dios ya separará a los buenos!». Finalmente, los últimos «hombres puros» fueron sitiados en el reducto-fortaleza de Montségur, en las estribaciones Pirineos franceses. La montaña de Montségur, increíblemente escarpada y cortada casi a cuchillo, está coronada en su cima por un castillo que en el año de 1243 era la capital del movimiento herético. Rodeado de precipicios infranqueables, su conquista era casi imposible. Tras diez meses de lucha, en el interior del castillo sobrevivían aún quinientas personas rodeadas por 20.000 soldados que esperaban el momento de la rendición.

Los cátaros recibieron armas, víveres y dinero provenientes de toda Europa, posiblemente a través de una intrincada red de túneles que habían construido en el interior de la montaña. Por esta misma vía salvaron el tesoro cátaro. Según consta hoy en día en las actas de la inquisición, en 1243 los cátaros Pierre Bonet y Matheus fueron los encargados de salvar el tesoro material, consistente en grandes sacos de piedras preciosas y monedas de oro. Entregaron todo al perfecto Pons-Arnaud de Castelverdun, señor de la región del Sabarthes, donde están situadas las cuevas en las que más tarde se refugiarían los últimos cátaros.

La noche del 16 de marzo de 1244 las hordas del Papa entraron en Montségur. Se llevaron a todos los ocupantes encadenados montaña abajo hacia un descampado, donde les esperaba una inmensa hoguera. Desde entonces es conocido como el *Camp dels Cremats* (Campo de los Quemados). Doscientos cinco «perfectos» y «perfectas» comenzaron a entonar unos cánticos que no cesaron hasta que el humo y el fuego acabó con sus vidas, según se puede leer en los archivos de la Inquisición.

En estos mismos documentos se puede leer cómo la noche de la caída de Montségur cuatro valientes cátaros cubiertos de paños de lana se descolgaron mediante cuerdas de la cima de la montaña por la garganta vertical de Lasset (la más inaccesible de Montségur), portando con ellos algo de vital importancia. Las actas solo recogen el nombre de tres de ellos: Amiel Alicart, Hugo y Poitevin. Horas más tarde, y mientras sus hermanos son quemados en la hoguera, un fuego es encendido en la nevada cumbre del monte vecino de Bidorta, tal y como habían pactado. Señal inequívoca de que el *tesoro espiritual* de la fe cátara estaba a salvo. Pero si el oro y la plata ya habían sido trasladados del castillo hacía casi un año, ¿En qué consistía el llamado tesoro *espiritual*? Quizás se trataba de documentos y del auténtico evangelio de San Juan que, según algunos historiadores, estaba en poder de los cátaros. ¿O quizás había algo más? ¿Se trataría del Santo Grial?

5.2. Otto Rahn: el Parsifal del siglo XX

Para desvelar el misterio que se encontraba tras la leyenda del tesoro cátaro habría que esperar siete siglos. En 1931, un joven alemán de 27 años llamado Otto Rahn llegaba por primera vez al país de los cátaros y a la fortaleza de Montségur. Tras especializarse en Filología e Historia Medieval en varias universidades alemanas, comenzó a investigar seriamente el tema del catarismo. Pronto se dio cuenta de que estaba muy vinculado con el ciclo de la búsqueda del Grial en la Edad Media. Los historiadores actuales dividen dicho ciclo en cuatro obras que dieron origen al mito: El *Perceval* de Chrètien de Troyes, la *Estoire dou Graal* de Robert de Boron, el *Perlesvaus*, y el *Parzival* de Wolfram von Eschenbach. Todos ellos escritos entre los años 1180 y 1210 que, curiosamente, coinciden con el auge y caída del movimiento cátaro en Europa.

Fruto de dichas investigaciones Rahn desarrolla su tesis doctoral sobre la herejía cátaro-albigense y el poema de *Parzival*, descubriendo que el texto de Wolfram von Eschenbach representa una versión novelada de auténticos hechos históricos ocurridos en el territorio cátaro, además de ser la fuente inicial y más pura que existe sobre el tema del Grial en la Edad Media. Tal y como cuenta Otto Rahn en su libro *La Corte de Lucifer*, «Wolfram von Eschenbach da el nombre de Parsifal al buscador del Grial... Su traducción al provenzal es *Trencavel*». Curiosamente, Raimund-Roger Trencavel, vizconde de Carcassonne, era el personaje más importante dentro del catarismo. Además, continua Rahn, «la madre de Trencavel y su hijo se consagraron a la herejía. Rechazaron la cruz como símbolo de la salud. El Grial era, según mis conocimientos obtenidos, el símbolo de la creencia herética que fue depositado en la tierra de los puros, como relata numerosas veces Eschenbach en su poema».

Actualmente ningún historiador duda que la verdadera saga del Grial narrada en el poema de *Parzival* llega a Alemania procedente de Provenza, en el sur de Francia. El propio Eschenbach dice en su poema que un bardo latino Kyot de Provenza le transmite la leyenda. Hoy sabemos que, alrededor de fines del siglo XII estuvo como huésped de la corte de Carcassonne un trovador llamado Guiot de Provins. Este trovador errante cantaba alabanzas a la noble casa de los Trencavel por su apoyo a los cátaros. Otto Rahn también descubre que Trencavel es primo de la condesa Esclaramonde de Foix, la dueña del castillo de Montségur. Esta se convirtió al catarismo y fue una de las «perfectas» quemada en la hoguera tras la caída del reducto de Montségur. Según Rahn, Esclaramonde aparece en el poema de *Parzival* como la única que puede portar el Grial, ya que es la señora del castillo del Grial, al que se le da el nombre de Muntsalvatsche. Así pues, era evidente que el castillo que albergó la preciada reliquia había existido y era Montségur, el castillo de los cátaros.

Ante estos descubrimientos Rahn se convence de que el famoso tesoro de los cátaros era en realidad el Grial, el cual debía esconderse en alguna de las cuevas cercanas al castillo de Montségur o bien en alguno de sus pasadizos secretos. En 1931 se desplazó de nuevo a la zona, inspeccionando durante tres largos meses los alrededores del castillo sin éxito alguno. ¿Dónde se encontraba el tesoro?

La respuesta la recibió Rahn de labios de un pastor, que le confió una antigua leyenda tradicional de la zona, tal y como relata en su libro *La Cruzada contra el Grial*: «Cuando todavía se mantenían en pie las murallas de Montségur, los «puros» guardaron en ella el Santo Grial. El castillo estaba en peligro. Las huestes de Lucifer se encontraban ante sus murallas. Ansiaban tener el Grial para volverlo a colocar en la diadema de su príncipe, que cayó a la tierra durante la caída de los ángeles. En estas circunstancias llegó del cielo una paloma blanca que abrió en dos el monte Tabor. Esclaramonde, custodia del Grial, lanzó la valiosa reliquia a la montaña, que volvió a cerrarse al recibirla, y así fue salvado el Grial... Cuando los demonios entraron en el castillo ya era demasiado tarde para ellos. Montados en cólera, quemaron a todos los «puros» en el *Camp dels Cremats*. Esclaramonde, que se había salvado, subió a la cumbre del Tabor y se convirtió en una paloma blanca regresando a las montañas de Asia».

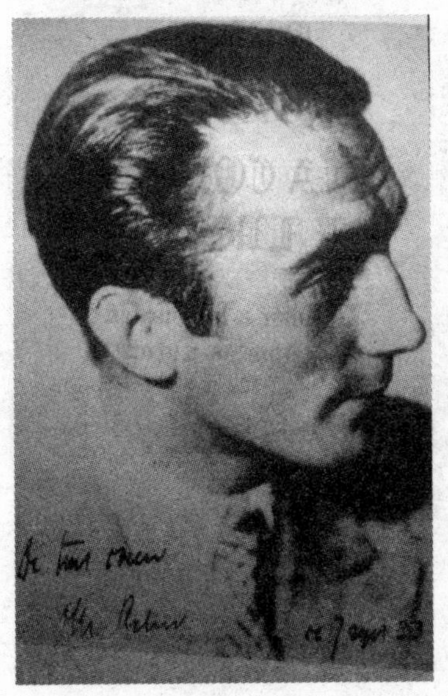

Otto Rahn realizó las investigaciones más serias sobre el Grial para las SS nazis.

A pesar de los fracasos iniciales Rahn no se desanimó. En su búsqueda del Grial iba a recibir una inestimable ayuda de varios expertos arqueólogos e intelectuales franceses. El más importante para él fue Antonin Gadal. Este rápidamente le convenció de que el Grial estaba situado en la zona de las cuevas del Sabarthez. Concretamente había sido custodiado en la gruta de L´Hermitte y en las cuevas de Ornolac, Fontanet y Lombrives —esta última la más grande de Europa—. Gadal, que conocía a la perfección la zona, sabía que la tarea era complicada, pues existen innumerables pasadizos y cuevas con kilómetros de laberintos aún por descubrir. Precisamente en ellos se refugiaron los últimos cátaros hasta el siglo XIV.

De los resultados de las expediciones de Rahn a este entramado de cuevas poco se sabe, excepto que descubrió numerosas piezas arqueológicas y grabados de varias épocas, algunos de ellos de indudable origen cátaro y templario que le conducen a una importante conclusión. Al parecer en la

Camp dels Cremats, *donde se llevó a la hoguera a los últimos defensores de la fortaleza cátara de Montségur.*

zona habían sido custodiados dos griales distintos. Uno sería el Santo Grial de la tradición cristiana, la copa donde Jesús bebió en la última cena y que fue custodiada por José de Arimatea. El otro sería la Piedra Grial, la esmeralda caída de la frente de Lucifer de la que hablan las más antiguas tradiciones religiosas, sobre todo las maniqueístas procedentes de Irán de las que se nutrió el catarismo inicial.

Recordemos que el tesoro de Salomón fue robado por los romanos de Jerusalén en el 70 d.C. Posteriormente, el rey visigodo Alarico II lo trasladaría a Carcassonne, tras el saqueo de Roma en el 410 d.C. El tesoro, además de importantes reliquias religiosas, estaría formado por miles de monedas de oro y plata de varias épocas, que probablemente fueron las que trasladaron los cátaros a alguna gruta segura un año antes del asedio a Montségur. Algunos investigadores relacionan este tesoro con el que supuestamente habría descubierto Berenger Saunniere, el famoso párroco del pueblecillo de Rennes le Chateau que se volvió extraordinariamente rico. Rennes se encuentra a escasos kilómetros de las cuevas del Grial.

Al igual que existen dos Griales: la Esmeralda de Lucifer y la Copa de Cristo, estos habían sido custodiados en dos castillos distintos. El castillo de la Esmeralda, mencionado en el poema de *Parzival* como ya sabemos, es Montségur. Por razones que hoy se desconocen, Gadal y Rahn afirmaron que el castillo del Santo Grial (la Copa de Cristo) correspon-

El autor señala el pueblo pirenaico de Ornolac desde un desfiladero de alta montaña, donde se encuentran las cuevas rastreadas por los nazis.

En el interior de la cueva de L´Hermitte, los cátaros supuestamente usaban el Grial para sus ceremonias de iniciación.

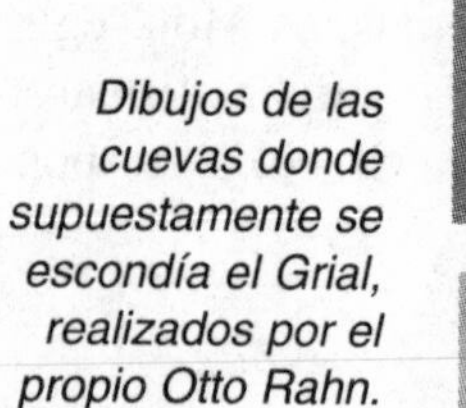

Dibujos de las cuevas donde supuestamente se escondía el Grial, realizados por el propio Otto Rahn.

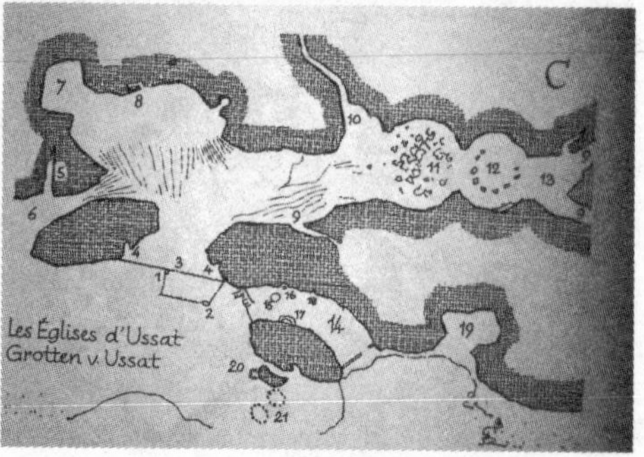

de al que actualmente está localizado en el pequeño pueblo de alta montaña de Montreal-de-Sos. Un dato que aporta credibilidad a este argumento es el hecho de que una de las cuevas que se encuentran en el subsuelo del castillo tiene un panel grabado en la piedra que muestra símbolos del Grial junto a una copa y una lanza. Recordemos que la Santa Lanza, la que usó Longinos para dar muerte a Jesús, se ha asociado siempre al misterio del Santo Grial y al Cáliz Sagrado de la última cena.

El castillo de Montreal-de-Sos se encuentra en ruinas y fue desmontado piedra a piedra por el rey de Francia Enrique IV. Este monarca hugonote había nacido en la Provenza francesa y su obsesión era hacerse con el Santo Grial, el cáliz de la eterna juventud, del que había oído hablar cuando era joven. Supuestamente, la copa fue puesta a salvo en el cercano monasterio de San Juan de la Peña (Jaca)[1], desde donde fue trasladada temporalmente al monasterio de Montserrat, hasta que encontró su lugar de reposo en la catedral de Valencia, donde se puede contemplar actualmente.

Pero el Grial que interesaba a Rahn era el más antiguo, el Grial pagano, la Piedra de Luz. Con ella esperaba descubrir también unas losas de piedra o tablillas escritas en extraños caracteres rúnicos. Igualmente, se supone que su procedencia era indoeuropea y oriental. Sus pesquisas se centraron fundamentalmente en dos cuevas llamadas en la actualidad Fontanet y la Cueva del Eremita. En el poema de Wolfram von Eschenbach, el héroe Parsifal acude a la cueva Fontane la Salvasche, donde vive un eremita que le puede iniciar en los secretos del Grial. Este le conduce a una segunda cueva cercana donde le muestra el altar sin cubrir, en cuyo centro se encuentra un cofre. Exactamente en el Sabarthez existe una

[1]. Cuentan las leyendas que fue San Lorenzo el que puso a salvo el Grial que llevó desde Roma a la zona pirenaica aragonesa de donde era originario. Se lo entregó allá por el año 260 el Papa Sixto II a raíz de la persecución del emperador Valeriano.

cueva, que desde tiempos cátaros se le llama Fontanet y exactamente a escasos metros de ella otra cueva llamada del Eremita, que alberga el «altar» donde la tradición asegura que era mostrada la Piedra Grial en las iniciaciones cátaras y templarias del más alto nivel. Dicha Piedra estaba contenida en un cofre que se colocaba en una oquedad de la cueva que aún puede ser observada hoy en día. ¿Encontró Otto Rahn el Grial en alguna de estas dos cuevas?

De regreso a Alemania los acontecimientos se precipitan. Rahn conoce a algunos de los dirigentes más importantes del partido nazi, como Heinrich Himmler y Alfred Rosenberg, que forman parte de la secreta Sociedad Thule. Por supuesto, el trabajo de Rahn sobre el Grial no pasó desapercibido para ellos. El 12 de marzo de 1936 Rahn entra en las SS. En realidad comenzará a trabajar para el departamento de ocultismo de las SS, la *Ahnenerbe*. Inmediatamente financian una expedición al sur de Francia con los medios necesarios. Pero extrañamente solo permanecen en la zona unos días. Quizás solo querían supervisar los objetos que Rahn había descubierto en sus anteriores expediciones a la espera de mejores

Al castillo de alta montaña de Montreal-de-Sos se lo relaciona con el Santo Grial cristiano.

condiciones para su traslado a Alemania. Recordemos que Alemania invadiría Francia tres años más tarde.

Sin embargo, en su obra *La Corte de Lucifer*, publicada en 1937, Otto Rahn afirma: «Por siempre recordaré el Sabarthes, el Montségur, el Castillo del Grial y el Grial, que puede haber sido aquel tesoro de los herejes sobre el que leí en los registros de la inquisición. Reconozco públicamente que me hubiera gustado encontrarlo». ¿Acaso fracasó en su objetivo de hallar el tesoro cátaro? Nunca lo sabremos. El 13 de marzo de 1939 Otto Rahn muere practicando la *endura*[2]. Días antes escribía a uno de sus amigos: «Me preocupa muy seriamente mi patria... Yo soy un hombre abierto y tolerante, no puedo ya vivir en mi hermosa patria; ¿En qué se ha convertido...?». Su cuerpo apareció varios días después en las montañas del Wilden Káiser, totalmente helado y en posición sedente. Su rostro reflejaba una gran paz. Estas informacio-

[2] Ritual cátaro que algunos autores han definido como una forma de suicidio.

Monumento realizado por la Sociedad Esotérica de la «Triple Alianza de la Luz», en el pueblo francés de Ussat.

nes fueron publicadas por el *Bolkischer Beobatcher*, periódico oficial nazi, en su esquela de defunción.

Sin embargo, existen suficientes datos para dudar del fallecimiento de Rahn. En un artículo publicado en mayo de 1979 en la revista alemana *Die Welt*, se comentaba por primera vez la versión, cada vez más extendida, de que Rahn sobrevivió e incluso trabajó para la inteligencia alemana. En los años treinta, junto con Antonin Gadal, había formado un complejo grupo esotérico con extensiones en Holanda, Francia y Suiza. Dicho grupo denominado «La Triple Alianza de la Luz» tenía fundamentos rosacruces, aunque también era utilizado por redes de información dedicadas al espionaje. Actualmente parece bastante claro que después de publicarse la nota de su falsa defunción por toda Alemania, Rahn se hizo una operación de cirugía facial y pasó a llamarse Rudolf Rahn. Trabajó como asesor técnico en las embajadas alemanas de Bagdag y Roma durante la guerra. Posteriormente moriría en 1975, víctima de una afección bronquial.

Este grabado sobre el Grial y la Santa Lanza puede observarse en una de las cuevas situadas bajo el castillo de Montreal de Sos.

5.3. Himmler busca el Grial en Montserrat

Mientras todo eso ocurría, el propio Himmler se desplaza en una enigmática visita «guiada» a la basílica de Montserrat en Barcelona. Su motivo era seguir la pista del Santo Grial. Y es que la montaña mágica catalana, que se encuentra a pocos kilómetros de Montségur, está históricamente relacionada con el mito artúrico del Santo Grial. No hay que olvidar que la ópera *Parsifal* de Richard Wagner se estrenó en Barcelona antes que en ningún otro lugar de Europa. Y es que en los primeros versos del compositor alemán se dice: «En el cielo hay un castillo y su nombre es Montsalvat». Muchos, incluido el propio Wagner, creían que el castillo del Grial no era Montségur, sino Montserrat. Pero veamos qué sucedió.

Himmler llega a Barcelona la mañana del 23 de octubre de 1940 acompañado por un séquito de 25 oficiales de las SS y el general Karl Wolf, otro personaje obsesionado también por la santa reliquia, ya que era miembro del círculo esotérico interno nazi y a la vez jefe de Otto Rahn.

Ese día estuvo lleno de curiosas anécdotas. Los dos abades del lugar no quisieron recibir a Himmler, puesto que ya conocían su actitud contraria al catolicismo. Por eso se encargó la bienvenida al padre Ripoll, que además hablaba alemán a la perfección. En un momento de la visita Himmler habló de los cátaros: «En Montserrat se propugnó la herejía albigense, con la que nosotros tenemos tantos puntos de contacto» le dijo a Ripoll.

Curiosamente cuando la ruta se encaminaba hacia el interior de la basílica católica, Himmler se negó en redondo a visitarla. Lo que le interesaba era el mundo oculto de la montaña. En ese momento fue el general Karl Wolf quien advirtió al padre Ripoll: «Perdone, pero a su Excelencia no le interesa el monasterio, sino la naturaleza...». Inquietante respuesta. Himmler quería no solo seguir la pista del Grial en Cataluña, sino también desvelar el secreto interno de la montaña.

Es completamente cierto que Montserrat está plagado de innumerables cuevas y simas. Además está asentada sobre un lago subterráneo. Como ejemplo se tiene la cueva del Salitre, con más de 700 metros de longitud. Se sabe que incluso hoy, cuando se produce alguna avería eléctrica en el monasterio, en determinados lugares los electricistas bajan —con los ojos vendados— a cámaras subterráneas inaccesibles al turista en general, e incluso a la mayoría de los monjes. Por causas que no podemos explicar aquí, la propia comunidad de Montserrat quiere que unas determinadas galerías subterráneas a las que (hoy en día) se accede desde el interior del propio monasterio, sigan estando ocultas.

Pero volviendo al año 1940, parece ser que Himmler no se salió con la suya. Según el especialista Ernesto Milá: «En el hotel Ritz de Barcelona donde se alojó Himmler desapareció su maletín negro. Corrieron todo tipo de rumores sobre su contenido... parece ser que allí estaban los planos con los conductos subterráneos de la montaña mágica, y varios ejemplares de los libros de Otto Rahn. Lo que ocurrió fue que el servicio secreto ingles, muy asentado entonces en Barcelona, contó con la complicidad de un camarero que logró apropiarse del maletín. Todo desapareció misteriosamente».

En el interior de la montaña de Montserrat se encuentra el lago subterráneo que buscaba Himmler.

5.4. La última cruzada en Montségur

En cualquier caso existieron más expediciones nazis para tratar de conseguir el tesoro cátaro. En junio de 1943 un grupo de científicos alemanes compuesto de geólogos, historiadores y arqueólogos, exploraron y realizaron excavaciones durante más de seis meses en las grutas del pueblo de Ussat y Ornolac. A pesar de llevar las notas que había dejado Otto Rahn con la localización exacta del tesoro, no obtuvieron resultado alguno.

Ante la impaciencia de Himmler por encontrar el Grial, muchos investigadores aseguran que decidió enviar al famoso Otto Skorzeny, el coronel de las SS que con solo ocho hombres lideró la increíble operación de rescate de Mussolini, cuando el líder fascista estaba prisionero por un gran contingente de fuerzas aliadas en un hotel de alta montaña. Esta operación le reportó a Skorzeny una fama legendaria. Si él no encontraba el tesoro de Montségur, nadie podría hacerlo.

Lo que pudo haber ocurrido en esa operación de búsqueda, que llamaremos «hipótesis Skorzeny», lo dio a conocer el investigador americano Howard Buechner. Según sus investigaciones, Skorzeny montó en marzo de 1944 un campamento de exploración compuesto por sus mejores hombres de combate en la base del castillo de Montségur. Tras visitar rápidamente las grutas de Rahn, llegó a la conclusión de que las expediciones anteriores habían buscado en el sitio equivocado. En su opinión, el tesoro debería estar escondido en un lugar más inaccesible, así que regresó a Montségur.

Aplicando un criterio estrictamente militar, siguió en línea recta la trayectoria de huida que habrían realizado los cuatro cátaros que escaparon de Montségur con el tesoro. A varios kilómetros de allí, en una oscura gruta cercana a la montaña sagrada del Tabor —en el llamado Col de la Pierre—, supuestamente hallaron el botín. Según Buechner estaba compuesto de miles de monedas de oro de la época romana y posterior. También existían multitud de reliquias sagradas, algunas procedentes posiblemente del tesoro de Salomón, como un enorme candelabro de siete brazos y varias arcas de madera en muy mal estado recubiertas de oro. Entre las reliquias, además se encontraban doce piedras con caracteres extraños que los expertos no supieron descifrar y una misteriosa copa plateada con una base de esmeralda. La copa estaba rodeada por tres tiras de oro y contenía inscripciones parecidas a las de las piedras.

Desgraciadamente Skorzeny no puede darnos su opinión sobre esta hipótesis, ya que murió en 1975 en su exilio madrileño. Sin embargo, recientes aportaciones han dado validez a muchos datos de esta hipótesis. Buechner asegura que el tesoro cátaro fue trasladado a la torre de Merkers (Alemania), mientras que la Copa Grial fue custodiada y enterrada en los alrededores del castillo de Wewelsburg, la catedral esotérica de las SS. Si todo esto es cierto, los modernos buscadores deberán reorientar sus brújulas hacia estos enclaves.

Según diversas fuentes, el especialista en operaciones especiales, Otto Skorzeny, lideró un grupo de búsqueda del Grial en suelo francés.

Y parece ser que algo ocurrió en esas fechas. Según el investigador Jean Michel Angebert fue exactamente el 16 de marzo de 1944. Ese día un grupo de franceses fue a recordar los setecientos años de la caída de los cátaros de Montségur. Reunidos desde el alba, habían rezado por el reposo del alma de los «perfectos», que habían preferido quemarse en la hoguera antes que renegar de su fe. Para visitar el recinto pidieron autorización al general alemán que se encargaba de esa zona (Montségur era una visita prohibida en tiempos de guerra). El militar les respondió que estaba prohibido «hollar esa tierra alemana», ya que ellos (los nazis) «tenían derechos históricos» sobre ella.

Los franceses hicieron caso omiso de las advertencias y siguieron su peregrinación. Se aproximaba el mediodía cuando sobre las nubes advirtieron la presencia de un avión de insignias alemanas (un *Fiesseler Storch*). Los atónitos franceses, que para entonces ya se encontraban en el interior del castillo, pudieron ver cómo el avión puso en acción sus tubos fumígenos dibujando en el cielo una gigantesca cruz céltica —emblema usado por los heréticos cátaros.

El santo Grial tal y como representa el investigador americano Howard Buechner.

Los espectadores comprendieron el significado simbólico del mensaje, mientras veían cómo el avión se alejaba en dirección a Toulouse. Según se supo más tarde, en su interior viajaba Alfred Rosenberg que como sabemos fue miembro del grupo Thule desde los inicios del partido nazi, y formaba parte de la cúpula ocultista del III Reich. Exactamente ese día, de madrugada, el equipo de alta montaña de Skorzeny recogía todas sus herramientas y regresaban rumbo a Alemania. ¿Habían encontrado los nazis el tesoro cátaro? ¿Se trataba del Santo Grial?

Karl Haushofer, padre de la geopolítica y maestro espiritual de Hitler.

Capítulo 6

En conexión con el Rey del Mundo

Nos comunicamos directamente con Dios a través de Hitler.
No necesitamos clérigos ni sacerdotes.

ALCALDE DE HAMBURGO, 1937

Cuando uno se va acercando al punto central y más secreto del ocultismo esotérico del III Reich, lo fantástico e improbable va tomando forma y visos de realidad. Es precisamente ahí, donde se advierte la finalidad última y el trasfondo del oscuro régimen nazi. Fue Rauschning el que encontró destellos de ese oscuro y aterrador núcleo mágico. Un día Hitler le dijo: «Voy a revelaros un secreto, la mutación de la raza ha empezado: existen los seres sobrehumanos». ¿A qué se refería exactamente? En otra ocasión el dictador se le acercó temblorosamente y le hizo una confesión sorprendente: «¡El hombre nuevo está ya entre nosotros! ¡Existe! He tenido la visión de un hombre nuevo, formidable, intrépido y cruel. Ante él me he acobardado». Recordemos que su primer maestro, el viejo Eckart, había asegurado que Hitler podía comunicarse «con ellos».

Si queremos saber de «quiénes» hablamos, debemos responder la pregunta planteada hace años por el historiador Montesinos Espes: «¿A qué línea contrainiciática, directamente vinculada con «Los 72», debía Hitler la posesión de sus poderes?, porque es evidente que «Los 72» inspiran pero nunca intervienen directamente. Por lo tanto, solo es posible descubrir a los «Superiores Desconocidos» detrás de los diversos sistemas, y no en uno determinado. Paralelamente, la aportación de Thule que conviene interpretar correctamente no es la única organización que hubiera debido despertar la curiosidad de los historiadores si hubieran sabido de qué se trataba en realidad esa orden del Dragón Verde a la que Haushofer, el padre de la geopolítica, se había afiliado en el Japón. Tres son las sociedades secretas que nos permitirán llegar hasta los verdaderos «Superiores Desconocidos»: Sebotendorf y "Thule"; Haushofer y la "Sociedad del Dragón Verde"; y la "Golden Dawn"».

La «Orden Hermética de la Golden Dawn» (o Alba Dorada) era un «club» como otro cualquiera, un lugar para pasar el rato y encontrarse con los amigos. Aunque había sido fundado en tiempos bastante recientes por Samuel Liddell Mathers, su origen era oscuro. Según W. B. Yeats, se trataba de una ramificación de otra sociedad, la de los «Estudiosos del Hermetismo».

El origen de los «Estudiosos del Hermetismo» es legendario. Un «maestro desconocido», una figura no menos misteriosa que el conde de Saint-Germain, se habría presentado un día a Mathers y le habría instruido en los misterios. Estas instrucciones, junto con las visiones de Mathers, formaban la base espiritual de los «Estudiosos del Hermetismo». Yeats, que era un eminente miembro de la «Golden Dawn», intentó descubrir la identidad de este maestro desconocido, pero ni Mathers, ni su mujer, Moina, que era artista, nada sabían, o si lo sabían nada le dijeron.

6.1. Visiones de los «Superiores Desconocidos»

Mathers es autor de un original manifiesto. Lo dirigió en 1896 a los denominados «Miembros de Segundo Orden» de la Aurora Dorada. En un pasaje del mismo señala lo siguiente: «Con referencia a estos Jefes Secretos a que me refiero, y de los cuales he recibido la sabiduría del Segundo Orden que os he comunicado, nada puedo deciros. Ignoro incluso sus nombres terrenales y solo los he visto muy raras veces en su cuerpo físico... Nos encontramos físicamente en tiempos y lugares previamente fijados. En mi opinión son seres humanos. Mis relaciones físicas con ellos me han enseñado lo difícil que es para un mortal, por muy avanzado que sea, aguantar su presencia. No quiero decir con ello que, en estos raros encuentros, experimentase el efecto de la depresión física intensa que sigue a la pérdida del magnetismo. Por el contrario, me sentía en contacto con una fuerza tan terrible, que solo puedo compararla al efecto experimentado por alguien que se encontrara cerca de un relámpago durante una violenta tempestad, acompañado de una gran dificultad de respirar... La postración nerviosa de que os he hablado iba acompañada de sudores fríos y de pérdida de sangre por la nariz, por la boca y a veces por los oídos».

Desde ese punto de vista hay que preguntarse si fueron algo más que crisis nerviosas los extraños ataques atribuidos al *Führer*. «Una persona próxima a él —relata Rauschning— me dijo que Hitler se despierta por las noches lanzando gritos convulsivos. Pide socorro sentado en el borde de su cama, y está como paralizado. Es presa de un pánico que le hace temblar hasta el punto de sacudir el lecho. Profiere voces confusas e incomprensibles. Jadea como si estuviera a punto de ahogarse. La misma persona me contó una de estas crisis, con detalles que me negaría a creer si procedieran de una fuente menos segura. Hitler estaba en pie en su habitación, tambaleándose y mirando a su alrededor con el aire extraviado. «¡Es él! ¡Es él! ¡Ha venido aquí!», gemía. Sus labios estaban pálidos. Por su cara resbalaban gruesas gotas de sudor. De pronto, pronunció unos números sin sentido, algunas palabras y trozos de frases inconexas. Era algo espantoso. Empleaba palabras muy extrañas, uniéndolas de un modo chocante. Después, volvió a quedar silencioso, pero siguió moviendo los labios. Entonces le dieron masajes y le hicieron beber algo. Pero, de pronto, rugió: ¡Allí! ¡Allí! ¡En el rincón! ¡Está allí!. Daba patadas en el suelo y chillaba. Le tranquilizaron diciéndole que nada ocurría de extraordinario, y se fue calmando poco a poco. Después durmió muchas horas y volvió a ser un hombre casi normal y soportable.»

Estos trances eran muy parecidos a los que describe el jefe de la «Golden Dawn» cuando veía a los maestros que le iniciaron en su camino espiritual. En opinión de J. M. Romaña todo esto nos conduce directamente al Tíbet. Veamos lo que nos dice en su magistral obra «Nazismo Enigmático»: «Mathers aseguró a sus seguidores que solo en contadas ocasiones había logrado ver a los «Maestros Secretos» bajo su apariencia física, dado que tan sorprendentes seres eran invariablemente de tipo astral. Casi con toda seguridad se le aparecían en sueños, a modo de espíritus incorpóreos, o tal vez es que recibía una serie de mensajes telepáticos. Resulta rigurosamente verídico que cuando el jefe espiritual de la «Golden Dawn» lograba uno de esos asombrosos encuentros, quedaba exhausto.

Al parecer estos «Jefes Secretos» eran unos seres sobrehumanos de un tipo muy similar a los *mahatmas* que Madame Blavatsky —fundadora de la teosofía, que había importado su «Doctrina Secreta» tras una prolongada estancia en el Himalaya— señaló siempre, como los que habían delegado en ella como excepcional intermediaria con los demás mortales. A tenor de lo expresado por esta peculiar ucraniana, esos «Maestros Secretos» actuaban como una especie de mentores para personas que, igual que ella misma, ya tenían a su alcance un muy avanzado grado espiritual».

6.2. Shambhala, la ciudad eterna

La mayor parte de las corrientes ocultistas de occidente coinciden en afirmar que esos maestros integran la Gran Logia Blanca, cuya sede, a modo de centro de gravedad espiritual de nuestro planeta, localizan entre las nevadas cumbres del Himalaya. Un experto del prestigio de C. Tucci ha situado esta mítica tierra, en un lugar un tanto impreciso, en pleno corazón asiático. Siempre en la opinión de este experto, debemos buscarla en las proximidades del desierto del Gobi, al norte del Tíbet y al sudoeste de Mongolia (una zona escasamente poblada y civilizada), en donde encontramos el lago Lob Nor.

La tradición milenaria señala que después del cataclismo del Gobi, los maestros de una alta civilización, los detentadores del conocimiento, los hijos de las inteligencias de fuera, se instalaron en un inmenso sistema de cavernas bajo el Himalaya. En el corazón de estas cavernas se dividieron en dos puntos: el que siguió «el camino de la derecha», y el que siguió «el camino de la izquierda». El primer camino tendría su centro en Agartha, lugar de contemplación. El segundo pasaría por Shambhala, ciudad de la violencia y el poder, cuyas fuerzas gobiernan los elementos y las masas humanas, y apresuran la llegada de la Humanidad al «gozne de los tiempos». Los magos conductores de pueblos podrían celebrar un pacto con Shambhala, por medio de juramentos y sacrificios.

Casi todos los exploradores sitúan a Shambhala cerca de Tarim He, el principal río de la región autónoma china de Sinkiang Uigur. Esta inmensa zona del planeta es probablemente una de las menos pobladas por sus malas comunicaciones y un clima bastante riguroso. Por cierto, en los cerros desérticos de ese territorio se hizo un descubrimiento más que sorprendente. Fue en 1987, cuando las famosas momias de Xinjiang —los hombres blancos de China— aparecieron en la prensa mundial.

Un grupo de arqueólogos había desenterrado más de cien cuerpos intactos y perfectamente conservados, a pesar de superar los 3.000 años de antigüedad. Son blancos y rubios, y al contrario que la mayoría de la población de Asia Central, estos cadáveres tenían rasgos caucásicos o europeos. Nariz larga, ojos hundidos y cráneos alargados, más aún, las telas del ropaje estaban en perfecto estado de conservación, y denotaban el uso de un telar sofisticado para la época y una técnica típicamente europea. Fragmentos de ropa similares y de la misma época han sido encontrados en zonas de Alemania, Austria y Escandinavia.

Y no acaban ahí las sorpresas porque fue al pie de las llamadas «Montañas Celestiales» donde aparecieron los cuerpos. Estas están situadas al noroeste de China, en el desierto de Taklamakan. Exactamente donde todas las tradiciones budistas y tibetanas sitúan el reino subterráneo de Agartha, en el cual moraría el «Rey del Mundo».

Curiosamente es el famoso historiador y escritor Sir Bulwer Lytton, que pertenecía a la hermandad rosacruz de Inglaterra, el que nos aporta más datos de este mundo subterráneo a través de una de sus novelas. Nos referimos a *La Raza Futura*. La historia transcurre en un mundo subterráneo cuyos habitantes desarrollaron una civilización avanzada. Esos habitantes, los *Ana*, tenían por antepasados seres que vivían sobre la superficie antes que la tierra fuera arrasada

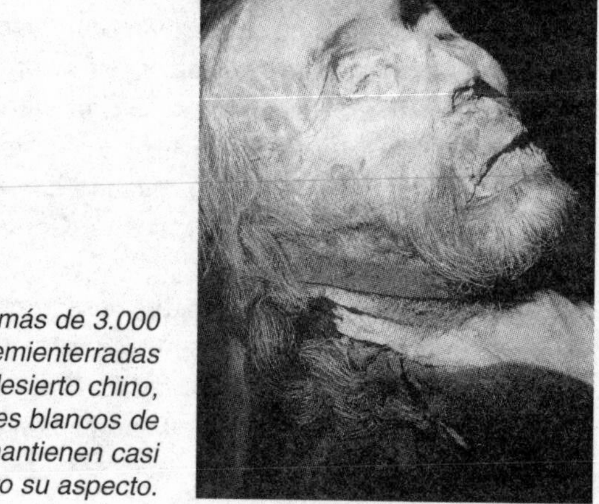

Tras más de 3.000 años semienterradas bajo el desierto chino, los hombres blancos de Xinjiang mantienen casi intacto su aspecto.

por un gran diluvio. El lema principal de esta civilización era: «No hay felicidad sin orden, no existe el orden sin la autoridad y no hay autoridad sin unidad», todo esto pudiera haber inspirado a algunos nazis del III Reich. De hecho sabemos que el filósofo del nazismo, Alfred Rosenberg, impresionado por la novela, llegó a regalarle una edición especial forrada en piel a Hitler, el cual la leyó detenidamente. Pero en la novela de Lytton había más. Mucho más.

Las cavidades subterráneas habitadas por los *Ana* estaban iluminadas por una extraña claridad que favorecía el crecimiento de los vegetales. Por eso estos podían prescindir de la luz solar. Las mujeres eran más fuertes que los hombres, tanto física como mentalmente, aunque no desarrollaron el matriarcado. Los aires de esas grandes oquedades bajo tierra eran surcados por los *Ana,* que llevaban alas artificiales.

Los *Ana* poseían un arma aterradora, el *Vril*, una pequeña vara o tubo metálico que podía ser empleada a modo de rayo o transformarse en un catalizador del fluido universal,

El pintor ruso Nicolas Roerich buscó al «Rey del Mundo» en los monasterios del Himalaya.

concediendo a sus usuarios capacidades paranormales. Estos seres se comunicaban telepáticamente entre sí. También usaban un idioma llamado el *Vril-Ya*. Bulwer Lytton hizo un listado de palabras de ese idioma como *Nan-si*, que en la novela significaba «mal eterno», *Nax* que quiere decir «oscuridad», o *Nas* palabra que Lytton atribuía a una condición extrema de perversidad y pecado. Todas esas siglas resonarían con fuerza en toda Europa medio siglo más tarde bajo la ideología nazi. ¿Casualidad?

Lo que no es casual es que Haushofer, como mentor de Hitler, estuviera asociado en sus viajes por la India y los Himalaya a la Sociedad del *Vril*. Nos estamos ya acercando al origen oculto del nazismo. Es interesante el hecho de que la primera noticia de la Sociedad del *Vril* no fue revelada en occidente hasta 1933 con la llegada de Hitler al poder. Paradójicamente fue Willy Ley, un científico especializado en cohetes que había huido de la Alemania nazi, el primero en hablarnos de ella. Este ingeniero había trabajado con el famoso Werhner Von Braun, el hombre que más tarde fabricaría los cohetes que llevaron a los americanos a la luna. Pues bien, Ley advirtió de la existencia de una pequeña comunidad espiritual de origen hindú que estaba teniendo una gran influencia en la cúpula nazi.

La «Sociedad del *Vril*» o Logia Luminosa, había nacido muchas décadas antes en Alemania porque había una gran influencia del budismo desde principios de siglo. Sin ir más lejos, desde 1924 existía en Berlín el grupo budista practicante de Paul Dalke. También por esas fechas, Eugen Herrigel y su esposa, autores de *El Zen en el Arte del tiro con arco* y *El camino de las flores*, preparaban las maletas para viajar al Japón. Años después ambos formarían parte del partido nazi.

Haushofer ayudó a fundar la Logia *Vril*, creando sedes en Berlín y Munich y con el tiempo enviarían una expedición de exploración al Tíbet en 1926. El objetivo de ese viaje era el de tomar contacto con los supuestos moradores subterráneos de Agartha, y que estos apoyaran con sus poderes la causa nazi. Pero lo cierto es que los miembros alemanes de la Logia *Vril* se dejaban llevar por prácticas más que extravagantes. El científico Willy Ley siempre solía comentar sonriendo que «los discípulos del *Vril* creían poseer ciertos secretos para cambiar la raza, para igualarse a los hombres ocultos en el fondo de la tierra. Eran métodos de concentración y toda una gimnasia interior para transformarse. Comenzaban sus ejercicios contemplando fijamente una manzana partida en dos...».

Según comentó un miembro de la logia años más tarde «El *Vril* es la enorme energía del cual solo utilizamos una ínfima parte en la vida ordinaria. El nervio de nuestra divinidad posible. El que llega a ser dueño del *Vril* se convierte en dueño de sí mismo, de los demás y del mundo... Aparte de esto, no hay nada deseable. Todos nuestros esfuerzos deben tender a ello. Todo lo demás pertenece a la psicología oficial, a la moral, a las religiones, al viento. El mundo va a cambiar. Los Señores saltarán de debajo de la tierra. Si no hemos celebrado una alianza con ellos, si no somos también señores, nos veremos entre los esclavos...».

6.3. Mensajeros del Himalaya

Es un hecho contrastado que los iniciados de la Sociedad Thule creían haber hallado el origen de la raza aria en esos emigrados llegados del Gobi. Así, Karl Haushofer empezó a predicar con insistencia la urgente necesidad que veía de retornar a las fuentes. Esos orígenes estaban sin duda también en las altas montañas del Himalaya. Se convertía pues en una cuestión fundamental para los ideólogos del nazismo la conquista de vastos territorios en la «región-corazón» del mundo: el Turkestán, el Tíbet, el Pamir y el Gobi, no olvidando, por supuesto, la parte oriental de Europa.

Cuando años después comienza la invasión nazi de las estepas rusas camino de Moscú y Stalingrado, sucedería un importante hecho simbólico en el que poca gente reparó. Investigadores de la *Ahnenerbe* marcharon a las regiones ocupadas de Rusia, y un equipo de deportistas de las SS colocaron la bandera con la esvástica y la runa de la vida en la cumbre del monte Elbruz (hogar de los *Ases* o dioses arios). Habían plantado el símbolo solar en la cima más importante. En el centro del mundo.

Son varios los aventureros y buscadores que a principios del siglo XX se internaron por primera vez en las inhóspitas regiones del Tíbet y del Himalaya. Helena P. Blavatsky, fundadora de la Teosofía, la corriente que dio lugar a todas las sociedades secretas occidentales que hemos visto en este libro, fue de las primeras. Pero hay tres que aseguraron haber tenido contacto con el señor de Shambhala, con el llamado «Centro de la Tradición»: Rene Guenon, un importante ocultista del siglo XX —dicen que el más importante— que escribió un famoso libro titulado precisamente *El Rey del Mundo*. Ferdinand Ossendowsky, que plasmó a finales del siglo XIX en su obra *Bestias, Hombres y Dioses* una carta que supuestamente enviaba el citado monarca a todo el planeta. Y finalmente Nicolas Roerich.

Este último, siendo ya un pintor ruso reconocido, aseguraba tener un mensaje para el entonces presidente de los Estados Unidos. Lo más impresionante es que logró su propósito instaurando el llamado Pacto Roerich en 1933, simultáneamente a la llegada de los nazis al poder en Alemania. Pero lo interesante es que Roerich, antes de partir para América, visitó en Rusia la tumba de Lenin. Allí dejó un ramo de flores en honor «al *Mahatma* Lenin, de parte del Rey del Mundo». Y es que según la tradición, desde ese supuesto centro iniciático mundial se envían cada cierto tiempo una serie de emisarios o *mahatmas* (muchas veces anónimos), que influyen poderosamente en la marcha de la historia. El nazismo tendría el suyo.

Todos los datos convergen en una persona. Se trataba de Trebitsch-Lincoln, cuyo nombre real era Ignatius Timothy. Un judío húngaro nacido en 1879 a la orilla del Danubio. René Guénon lo ha considerado de forma explícita un agente de la contrainiciación —persona que trabaja en el esoterismo para las fuerzas oscuras—. Hitler se sintió literalmente subyugado por las teorías de este individuo de amarilla túnica que en realidad actuaba como agente secreto doble, británico y ruso, tras el fin de la Primera Guerra Mundial. Fue este personaje el que hizo las presentaciones entre Hitler y un famoso banquero de Colonia que buscaba hombres capaces de enderezar el rumbo de Alemania en aquel lejano 1919, cuando el futuro *Führer* ni siquiera era un anónimo agitador de masas salido de la nada.

Trebitsch-Lincoln llegó a participar en el fracasado golpe de estado de marzo de 1920. Lo hizo como ministro de propaganda, siendo consejero oficioso del general Erich Ludendorff, quizás la persona más influyente entonces en Alemania. Ese día, los dirigentes golpistas se refugiaron en una casa particular para plantearse de nuevo la táctica a seguir. En el momento en que llegaba Hitler tras la pelea callejera, todos recuerdan que Trebitsch se levantó gritando: «El porvenir de Alemania está al Este. Alemania es la gran potencia oriental de mañana, el cerebro de un inmenso continente que sufre... poder en nuestras manos en Berlín, poder en nuestras manos en Viena mediante una ocupación rápida, tal debe ser nuestro objetivo. Inglaterra no puede hacer la guerra a la mitad del continente. Una vez ocupada Rusia, nos abrirá las puertas de China donde nos espera un inmenso mercado para nuestras industrias nacionales. ¿Qué teméis? Los pequeños países danubianos tienen demasiados problemas internos y están formados por demasiadas minorías para atreverse a desafiarnos... Nada puede obstaculizar la ascensión de la gran Alemania... La vía gloriosa del Reich no se dirige ya a Bagdad... ¡Pasa por Viena, Moscú y Pekín!». Casi todas esas palabras se cumplirían con total exactitud dos décadas más tarde. Para entonces este personaje, enviado por personas desconocidas a aquel caótico Munich, había desaparecido. Había hecho su trabajo.

En 1933, cuando los nazis estaban ya muy cerca de ganar las elecciones, Trebitsch-Lincoln volvió a cambiar su identidad. Adoptó definitivamente el más inquietante nombre oriental de Chao Kung. Incluso construyó un templo cerca de la capital alemana. Había sido iniciado de nuevo en el Tíbet en junio de 1930. Para muchas personas que le adoraban era un Buda viviente. Para otros, un hombre de turbios negocios y además, un espía. Lo cierto es que fue también miembro de la Cámara de los Comunes en el Reino Unido. Gozó de numerosas atenciones en el círculo íntimo de Hitler, y metió en la cabeza del futuro *Führer* la creencia en fuerzas ocultas de origen tibetano que, bien usadas, conducen al dominio del mundo.

Lo cierto es que no sabremos más de este inquietante personaje. Desde su nuevo destino en el lejano oriente, y convertido ya en la figura de Chao Kung, redactó un folleto en tres idiomas, alemán, inglés y francés, donde anunciaba a los «ciudadanos que habitan en la superficie del planeta» que a partir de ese año, 1939, se verían afectados por peligrosos acontecimientos: «El rey del Mundo, que vive en el Tíbet, desencadenará contra vosotros, sin ningún prejuicio, predilección o favor, fuerzas y potencias cuya misma existencia os es desconocida y contra las cuales os veréis sin recursos... Los jefes de Estado son simples seres humanos y, por lo tanto, están sometidos a toda las imperfecciones de la naturaleza. Solo los maestros supremos, por su conocimiento infinito e ilimitado de la naturaleza, por su actitud para utilizar ciertos poderes, escapan a estas limitaciones y pueden decidir la suerte de la tierra».

6.4. Las SS en el Tíbet

Pero los dirigentes nazis seguirían interesados en mantener el contacto a toda costa con lo que consideraban el centro espiritual del mundo. Prueba de ello es la expedición que antes de la guerra más ha dado que hablar: la expedición nazi al Tíbet.

Encabezada por el científico de la *Ahnenerbe* Ernst Schaeffer, y compuesta por un grupo de cinco investigadores alemanes acompañados por veinte voluntarios de las SS, en la expedición al Tíbet existía un interés arqueológico y antropológico, pero no olvidemos que parte de las actividades de la *Ahnenerbe* se centraban en el estudio de las leyendas y las tradiciones, y un desplazamiento de cinco científicos de las SS al Tíbet sin duda estaba interesada en los mitos y las leyendas tibetanas acerca del «Rey del Mundo»: el *Chakravarti* o «Señor de la Rueda».

No hay que olvidar que uno de los símbolos más importantes dentro del hinduismo y el budismo tibetano es la esvástica, como símbolo solar. Además es muy fácil advertir sorprendentes similitudes entre las más viejas leyendas europeas y las creencias que todavía hoy se mantienen en el Tíbet.

Todas esas leyendas toman forma física en oriente bajo la leyenda de personajes como el mongol Gengis Khan, o el tibetano Gesar de Ling. Un lama tibetano, Chögyam Trungpa, nos lo explica: «Gesar de Ling vivió aproximadamente en el siglo XI y fue el rey de la provincia de Ling, al este del Tíbet. Al término de su reinado, los relatos y leyendas sobre sus logros en cuanto guerrero y gobernante se difundieron por todo el Tíbet y terminaron por ser la epopeya más importante de la literatura tibetana. Algunas leyendas afirman que Gesar de Ling retornará viniendo de Shambhala al mando de un ejército, para someter a las fuerzas de la oscuridad en el mundo...»

Asimismo, Trungpa continúa afirmando que: «Entre los tibetanos existe la creencia popular de que aún es posible llegar al reino de Shambhala, oculto en algún valle remoto en un rincón de los Himalayas. Hay también cierto número de textos budistas que dan instrucciones, detalladas pero oscuras, sobre cómo llegar a Shambhala».

En todo occidente la misma leyenda se repite. Se trataría de un rey, llamado también a veces «El Rey Perdido», «El Rey Pescador» o «Rey del Mundo» (Imperator Mundi), que se ha ocultado en las entrañas de la tierra o en lo alto de una montaña, en cualquier caso; en un lugar inaccesible del que solo regresará el día de la lucha final para ponerse al frente de sus huestes. En el caso de Gesar de Ling se habría ocultado en Shambhala.

Según el especialista Ernesto Milá: «De todo lo que trajo Schaeffer a su regreso a Alemania una cosa merece destacar sobre cualquier otra: el ritual del Tantra de Kalachakra y un informe exhaustivo sobre esta iniciación tántrica... el primer material documental que llegó a occidente sobre este tema».

¿Qué importancia puede tener este ritual? El Tantra de Kalachakra y su iniciación no es una más del budismo tibetano, es la iniciación suprema, la que asegura el renacimiento en Shambhala justo en el momento de la batalla final contra las fuerzas del mal. Un tema parecido se encuentra en la mitología germánica en el episodio del *Rakna-rök*: Odín se pone al frente de sus huestes compuestas por las almas de los más heroicos guerreros caídos en el campo de batalla, y marcha con ellos hacia la batalla final.

Lo realmente sorprendente en el caso del Tantra de Kalachakra es que, tratándose de la iniciación suprema del budismo tántrico, puede ser administrada a cualquiera aunque no haya sido iniciado previamente en esta escuela tradicional. Es decir, es una iniciación para profanos. Pero esto no es todo, se trata de una iniciación propia de la casta guerrera. Es evidente que ese ritual debía interesar mucho a los dirigentes de las SS, ya que los miembros de la Orden Negra se consideraban a sí mismos monjes-guerreros.

De hecho Himmler había supervisado la expedición personalmente. Existe un documento secreto mostrado hace poco por el ejército norteamericano. En él se cita el interrogatorio llevado a cabo sobre el jefe de la expedición, el doctor Schaeffer. Este recuerda perfectamente su primer encuentro con el jefe de las SS: «Himmler me habló de su creencia de que la raza nórdica no había evolucionado, sino que había descendido directamente del cielo para asentarse en el continente desaparecido (Thule o la Atlántida); y que antiguos emigrantes de ese continente habían fundado una gran civilización en Asia Central. Creía que algunos tibetanos eran descendientes directos de esta civilización, y que los arios provenían de esa etnia».

Ello hizo que corrieran rumores sobre la existencia de un documento de singular valor y que Hitler habría colocado en una habitación cerrada y sin ventanas en el búnker de Rastemburgo, en la sala donde supuestamente meditaría. Pues bien, dicho documento existió. No era otra cosa que un pergamino en el que el Dalai Lama habría firmado un tratado de amistad con la Alemania nazi y reconocía a Hitler como jefe de los arios. Pero ese legajo no decía nada acerca del «Rey del Mundo» o sus moradores subterráneos.

Todas las pruebas sobre la conexión entre el Tíbet y la Alemania nazi se irían diluyendo con el transcurso de la guerra y los bombardeos. Reducido todo en su mayor parte a cenizas. Cuando al final los rusos entraron en una de las sedes de la *Ahnenerbe* en Berlín, yacían muertos varios soldados de raza mongola, sin distintivos de ningún tipo. Todos portaban unas extrañas dagas ceremoniales y estaban tendidos en el suelo formando un círculo, con sus cabezas unidas en el centro del mismo. Como una gran rueda giratoria.

Era abril de 1945 la gran pesadilla de la guerra estaba tocando a su fin, pero días más tarde, antes del ocaso final, un extraño vuelo tendría lugar en la región de Salzburgo.

Según los testimonios, un pesado cuatrimotor (He 277, v1) partía lleno de importantes personajes con rumbo desconocido.

Para el especialista francés Saint-Loup no cabe duda de que: «Ese aparato llevaba a los más altos iniciados de la Orden Negra. La cúpula del *buró* ocultista cuya huella se pierde en los últimos meses de la guerra, pero cuya presencia anterior en la Alemania hitleriana no ofrece ninguna duda».

El radio de acción de ese aparato era enorme. Aun así la posibilidad de que llegara a Sudamérica es remota, por no decir nula. Sin embargo, sí llegaría muy fácilmente a Turquía aún sin consumir todo su combustible. Y repostando allí, ¿adónde habrían podido dirigirse estos personajes sino al lugar donde todo el mundo sitúa la iniciación actual y pretérita, es decir, a Asia? El destino final sería entonces Katmandú en la cordillera del Himalaya, donde serían bien acogidos. Llegarían así al lugar donde años antes habían buscado entre las míticas leyendas del «Rey del Mundo» a los maestros espirituales.

Oficial de la Ahnenerbe *mostrando sus ofrendas a un lama, durante la expedición nazi al Tíbet.*

Capítulo 7

Objetivo: Nueva York

«Han tenido mucha, mucha suerte de que la guerra no haya durado unos meses más...». Esa fue la primera frase que dijo Hermann Goering tras ser apresado. El jefe de la *Luftwaffe* (aviación alemana) estaba al tanto de los más secretos proyectos sobre el desarrollo de las increíbles armas nazis. Pero sobre todo, conocía bien los futuristas adelantos que su propia aviación estaba experimentando para intentar cambiar el curso de la guerra. La potencia destructiva y las técnicas usadas eran tan avanzadas que hasta el último momento tanto Hitler como él, mantenían aún esperanzas de poder dar un golpe sorpresa a los aliados. Tal y como veremos, los inventos de los científicos alemanes estaban 30 años, incluso en algunos casos, medio siglo por delante. Algunas patentes y aparatos no han logrado ser reproducidos o construidos hasta el momento.

Dentro de los departamentos secretos de la *Luftwaffe*, había tres proyectos que destacaban sobre los demás, más que nada porque aunque se desarrollaban en el más riguroso secreto y por separado, tenían el mismo increíble objetivo: destruir Nueva York.

Herman Goering, jefe de la Luftwaffe *(avición alemana)*

7.1. Los aviones invisibles supersónicos Horten

Uno de ellos, el más «convencional», tenía que ver con la sofisticada aviación alemana y con dos jóvenes genios que trabajaron para ella: los hermanos Horten, Reimar y Walter. La pasión de ambos comenzó muy temprano. Ya desde que tenían quince y diecisiete años empezaron a participar en los concursos aéreos locales de su ciudad natal, Bonn. Debido a la derrota en la Primera Guerra Mundial, Alemania tenía expresamente prohibido usar cualquier mecanismo o aparato que pudiera ser usado para la guerra. Eso hizo que los técnicos e ingenieros alemanes agudizaran el ingenio con inventos y diseños nada convencionales. La aviación era una de las más afectadas por estas estrictas normas, hasta el punto de que en las escuelas de vuelo estaba terminantemente prohibido usar aviones a motor.

Todo ello hizo que los Horten aprendieran a volar en alas delta y planeadores. Como en todas las escuelas de vuelo de la época estos enormes «juguetes» eran elevados por antiguos aeroplanos medio destartalados. Sin embargo, los Horten pensaron que esas enormes alas podían ser los aviones del futuro. No se equivocaron.

Walter y Reimar Horten (izquierda), padres de los aviones en forma de ala volante.

Rápidamente comenzaron con primitivos diseños, que fueron mejorando hasta lograr el *Ho 2* y el *Ho 3*. Los maestros y ases de la aviación alemana no estaban muy convencidos de que esos raros y extravagantes aviones sirvieran para algo. Pero cambiaban rápidamente de opinión cuando los probaban. Su maniobrabilidad, velocidad y elegancia en el vuelo llamaban poderosamente la atención. Eso sin contar la multitud de personas que se acercaban a verlos en los distintos concursos aeronáuticos. Sin duda esas raras «mantas voladoras» hacían las delicias del público. Aun así los militares alemanes seguían considerándolas poco útiles.

Los Horten siguieron con sus diseños en condiciones casi surrealistas. Usaban el salón de la casa de sus padres como «central de proyectos». A veces las enormes alas volantes que fabricaban cruzaban la mesa del comedor. Finalmente, tras la llegada del partido nazi al poder, se incrementó el desarrollo científico aplicado a la guerra. Eso incluía cualquier invento que pudiera ser usado para la aviación. Así pues, les cedieron una pequeña planta de la *Luftwaffe* donde continuar sus proyectos poniendo a su cargo varios trabajadores y maquetistas.

Pronto nació la primera ala volante operativa que podría ser usada en combate. Era el *Ho 7*. Su silueta era impresionante, y no tenía nada que ver con los aviones de la época, excepto que también se movía a hélice. Para entonces los Horten usaban en su construcción derivados del plástico y

Las alas volantes Horten fueron los primeros aviones invisibles ya que presentaban perfiles al radar casi nulos.

materiales revolucionarios como el plexiglás. Se adelantaban así 40 años en el uso de la fibra de carbono para la aeronáutica y los automóviles.

Lo que Walter Horten quería con todos esos modelos era construir la versión final de un caza único en el mundo. Con forma de ala delta, muy maniobrable y dos novedades importantes: una era un cañón de largo alcance que disparaba 8 balas explosivas por segundo. Lo novedoso era que podía alcanzar a los aviones enemigos a casi 2 kilómetros de distancia (la distancia de ataque normal era de 100 o 200 metros). Cuando una de esas balas rellenas de TNT llegaban a

Las primeras construcciones de los hermanos Horten fueron realizadas en su propia casa.

su objetivo, este explotaba en el aire hecho pequeños pedazos. Por otra parte, Walter quería dotar a su máquina de unos nuevos sistemas secretos de propulsión. Según le habían insinuado, eso podría hacer que su flamante ala volante se acercara a la velocidad del sonido. Algo realmente increíble.

En una visita relámpago realizada por su hermano Reimar Horten en octubre de 1941, con la guerra en su apogeo, a la base experimental de Peenemünde, este vio personalmente los avanzadísimos sistemas que se estaban usando para los misiles y la aviación. En ese lugar se estaban probando inventos extrañísimos, pero sobre todo le llamó la atención el nuevo motor de reacción, y los motores-cohete de combustible líquido. Esos nuevos inventos podían revolucionar la aviación conocida.

Efectivamente, forma parte de la historia oficial el hecho de que los nazis habían sido los primeros en inventar el avión de reacción. El primero fue en 1939, antes de la guerra. Pero los jefes de la *Luftwaffe*, erróneamente, no vieron las potencialidades del aparato y pensaron que sería mejor desarrollar aviones convencionales a hélice. Con el transcurso de la guerra y los primeros reveses en el frente ruso, comenzaron a cambiar de opinión. Así nació el *Me 262*, el primer caza de combate de reacción. Los pilotos aliados no daban crédito a lo que veían. Mientras ellos se movían lentamente con sus viejas hélices, los *Messerschmitt* alemanes surcaban los cielos a 850 kms/h, una velocidad nunca vista. La ventaja era tal que normalmente caían veinticinco aparatos aliados antes de que un avión de reacción fuera abatido.

Sin embargo, la unidad de *Me 262* era muy reducida. Además el primer caza de esas características entró en combate en mayo de 1944, un año antes de acabar la guerra. Para entonces el número de aviones aliados en vuelo era muy superior. Aun así, tres meses antes de acabar la guerra incluso se equipó a los *Messerschmitt* con equipos radar de visión ciega, válidos para ataques nocturnos con visibilidad nula. Cuando los soviéticos entraron en algunas instalaciones subterráneas de Baviera, se encontraron con cientos y cientos de *Me 262*, totalmente nuevos, que estaban siendo ultimados para una ofensiva total. Afortunadamente, nada de eso ocurrió.

Pero más impresión en Reimar Horten causó el motor cohete. La potencia de este artefacto fue usada para el llamado Avión Cometa (*Me 163*). El primer y único caza-cohete de la historia que entró en combate. Volaba con el mismo método que impulsa hoy a los misiles o a la lanzadera espacial. Inventado por el revolucionario ingeniero alemán Alexander Lippisch, las prestaciones de este aparato eran inimaginables. Hasta tal punto que hubo que reducir la potencia del cohete propulsor. Este se calentaba hasta los 2.000 grados de temperatura, y los técnicos temían que semejante calor fundiera la estructura metálica del avión en pleno vuelo.

Me 262, *el primer avión de reacción de la historia.*

«El Cometa» fue el avión más rápido de la Segunda Guerra Mundial.

Los primeros test de alta velocidad del aparato se hicieron en la primavera de 1941. Al superar los 900 kms/h el avión comenzaba a vibrar de manera extraña, además el cohete se apagaba. Normalmente su combustible líquido se agotaba en unos cinco minutos. Se hicieron las rectificaciones oportunas hasta que llegó el 2 de octubre de 1941. Ese día, el «caza cometa» entraría en la historia de la aeronáutica. O al menos, de la historia secreta.

Todo estaba preparado para un vuelo de prueba más. Heini Dittmar fue el elegido. En medio minuto se colocó a 1.000 metros de altura. Siguió ganando velocidad hasta ascender a los 4.000 metros. Entonces encendió de nuevo el motor y se dirigió a una ruta ya prefijada. Allí varios equipos con películas y aparatos especiales (teodolitos) medirían la velocidad del avión-cohete. Cuando Dittmar volaba a 980 kms/h sintió que algo sucedía. El avión comenzaba a vibrar y se balanceaba lentamente intentando abrirse paso en la atmósfera. El marcador de velocidad del avión había llegado al límite de la aguja, 1.000 kms/h. Entonces, según cuenta Dittmar, el aparato comenzó a acelerar muy fuertemente, mientras la cabina se agitaba sin control. Dittmar decidió

Durante el vuelo de prueba del 2 de octubre de 1941, el caza-cohete Me 163 *(Cometa) pudo haber superado la velocidad del sonido.*

apagar los motores antes de perder el control del avión y aterrizar suavemente.

Los técnicos y los pilotos alemanes nada sabían sobre los efectos de las altas velocidades, ni qué sucedería al llegar a la barrera del sonido. Estaban experimentando sobre velocidades desconocidas para el ser humano. ¿Se había superado la barrera del sonido? Probablemente no. Nadie había oído el característico estampido que se produce al superar esa barrera. Sin embargo, se batió el récord mundial de velocidad. Un récord secreto, al igual que el avión que lo había batido. Nada de ello salió publicado en la prensa y, por supuesto, los aliados no tenían ni idea de la existencia del avión más rápido del mundo.

Algunas unidades entraron en combate al finalizar la guerra. Los pilotos que decían haberlos visto no eran creídos por sus colegas. Sin embargo dos fotos de baja calidad tomadas en vuelo por un piloto americano parecían probar su existencia. Al final todo se aclaró cuando los soldados británicos llegaron a la base aérea de Holstein donde pudieron observarlos. Casualmente, cuando dos años más tarde los americanos usaron su flamante avión-cohete *X-1* para superar «oficialmente» la barrera del sonido en el desierto de Mohave (USA), algunos comentaron el sospechoso parecido que ese aparato tenía con el caza-cometa.

Estos eran algunos de los más avanzados proyectos de la aviación nazi que se conocían entonces. Y precisamente, los hermanos Horten querían formar parte de esa vanguardista carrera con su caza no convencional en forma de «Ala Volante». La oportunidad les vino mediada la guerra, cuando se les telefoneó para que presentaran su proyecto en un concurso donde competirían con otros revolucionarios prototipos nazis.

Goering, el jefe de la *Luftwaffe*, había planteado un reto a las mejores compañías alemanas de la época (*Hunkers, Heinkel, Dornier, Messerschmitt, Horten,* etc). La guerra comenzaba a perderse y necesitaban más inventos. Se trataba de conseguir un caza que fuera capaz de llevar mil kilos de bombas a mil kilómetros de distancia, con una velocidad de crucero de 1.000 kms/h. Goering lo llamaba el cazabombardero *3x1000*. Había prometido medio millón de marcos alemanes como premio para aquel que presentara el mejor proyecto.

Los hermanos Horten se presentaron a la competición. Lo tenían complicado pues habían oído hablar de otro programa secreto, el avión experimental *P13* o *DM-1*. Este revolucionario aparato supersónico, inventado también por Lippisch, era casi más extraño que el de los Horten. Totalmente triangular, era el primer avión en ala delta del mundo. Algunos lo llamaban la «cola volante» por su parecido con la cola de un avión convencional. Absolutamente futurista, incluso hoy en día. Se pretendía que fuera propulsado por un nuevo «motor pulsante» que estaba siendo probado desde 1941 para las «bombas volantes» (V1). Era una especie de mezcla entre el motor de reacción y un cohete, con el que se pretendía conseguir superar ampliamente la velocidad del sonido.

Las circunstancias de la guerra hacían que el prototipo fuera desechado para el concurso de Goering. No podía estar acabado para la fecha prevista. A pesar de ello, se prosiguió con su construcción en los hangares del aeropuerto de Prien. El efecto de los bombardeos hacía que se detuviera por momentos el trabajo y finalmente, cuando los americanos invadieron la zona y descubrieron el «avión», se quedaron sorprendidos. El general Patton en persona lo observó, tras lo cual, decidió que los científicos alemanes continuaran con su desarrollo, bajo la atenta mirada de los soldados americanos.

Una vez finalizado, el *DM-1* fue envuelto en una especie de plástico de goma al que se le hizo el vacío. Posteriormente sería cargado en una llamativa caja triangular de madera que fue transportada a los Estados Unidos. Entre los planos que la inteligencia militar aliada encontró en el hangar había diseños para el *DM-2* y el *DM-3*. Con estos últimos se pretendía alcanzar velocidades de 6.000 y 10.000 kms/h respectivamente. ¡Nueve veces la velocidad del sonido! Algo realmente increíble que ni siquiera hoy ha sido logrado por avión alguno.

Tampoco fue sorprendente que un año después, en julio de 1946, se probara en Langley (Virginia) el primer avión experimental en forma de ala delta. El *Convair XF-92*, era una versión reformada del aparato alemán. Mientras ese avión surcaba el cielo, en los sótanos de la base aérea americana reposaba el avión hipersónico nazi. Hoy en día aún no ha sido mostrado al público.

Pero las cosas en aquel lejano agosto de 1943 eran muy distintas. Más para los hermanos Horten que recibieron una llamada providencial. El mismísimo Herman Goering quería entrevistarse con ellos para estudiar la viabilidad de su revolucionaria «Ala Volante». En la charla les preguntó sobre las características de los aparatos. Al ver las fotos se dio cuenta de lo avanzados que eran. Al poco rato se levantó de su silla y les dijo: «¡Hacedlo! ¡Construid este avión y dejadme ver si vuela!». Entonces dio media vuelta y su ayudante les extendió un documento por el que los Horten tenían su medio millón de marcos. Así comenzó la construcción del caza más avanzado de la guerra, el *Ho 9*. El «Ala Volante» iría además impulsada por dos motores de reacción que estarían embutidos en las propias alas.

Pronto el proyecto quedó sumido en el más absoluto secreto. Los técnicos de la *Luftwaffe* que se ponían en con-

Aspecto del Lippisch DM1. *Pretendía ser el primer avión supersónico de la historia aeronáutica.*

tacto regular con los hermanos Horten, no se podían creer que dos jóvenes sin estudios o base técnica alguna tuvieran la responsabilidad del proyecto de caza más avanzado de la aviación nazi. Pero así era.

En los talleres solo trabajaban veinte personas. No había expertos en aerodinámica, ni matemáticos, ni ingenieros

Otra imagen del Lippisch DM1.

El caza de reacción Ho9.

aeronáuticos. Nada. Tampoco se hacían cálculos sobre los prototipos. Y ni siquiera tenían un túnel de viento para conocer el comportamiento de las maquetas construidas. Solo se hacían algunos bocetos artísticos de los aviones y unos pequeños modelos en madera. El resto tal y como solía decir Reimar Horten era «intuición, y la observación cuidadosa y sistemática de los vuelos experimentales».

Goering quería tener el prototipo operativo en seis meses, para comenzar a construirlo en serie y que pudiera entrar en combate. Pero la guerra tenía otros planes para él. En febrero de 1944 se probó el primer *Ho 9* experimental. No tenía motores. Hubo que esperar a las navidades de ese mismo año para poder probar el prototipo completo. Era el momento que los Horten habían esperado. Tras dos décadas de trabajo habían logrado construir su «Ala Volante».

Erwin Ziller era el piloto de pruebas más experimentado del que disponían en ese momento. Tras repasar el plan de vuelo se montó en el avión y despegó. Era increíble ver las maniobras en el aire del aparato. De ese vuelo quedaron algunas pruebas fotográficas porque llevaba montada una cámara en una de sus alas. Tras una pasada por encima del

El Ho9 *antes de despegar para su ultimo vuelo en febrero de 1945.*

taller de trabajo de los Horten, el *Ho 9* aterrizó con suavidad en el campo. Lo habían logrado.

Walter y Reimar Horten se despidieron de sus trabajadores hasta la vuelta de las navidades. Debían informar a los mandos de la aviación nazi. Sin embargo el destino estaba ya trazado. Nunca volverían al campo de pruebas. Algo más importante y que superaba su imaginación estaba a punto de ocurrirles. Mientras tanto, la *Luftwaffe* dio orden de fabricar masivamente el «Ala Volante» en su formato militar. Solo quedaban cuatro meses para finalizar la guerra y no había tiempo que perder.

Las semanas fueron pasando y los hermanos Horten no daban señales de vida. Sus trabajadores estaban inquietos, pero como los vuelos experimentales para mejorar el *Ho 9* debían continuar, Erwin Ziller decidió seguir pilotándolo. Los bombardeos sobre el taller eran continuos y los suministros escaseaban. En febrero de 1945, a punto de finalizar la guerra y casi sin combustible, Ziller realizó una peligrosa prueba de vuelo. Durante la maniobra de aterrizaje perdió el control del *Ho 9*, estrellándose y muriendo casi instantáneamente. El avión quedó inservible y con él, se destruyó la única «Ala Volante» de reacción totalmente operativa que supuestamente podía encontrarse tras acabar la guerra.

Cuando Walter Horten fue avisado del accidente, hacía más de dos meses que no aparecía por el taller de construcción. No lo verían hasta finalizada la guerra. Tanto él cómo su hermano habían sido llamados para un cometido de alto secreto que superaba todas sus expectativas.

El día de Navidad de 1944 el teléfono sonó en la casa de los Horten. Al otro lado de la línea estaba Siegfried Knemeyer, la mano derecha del jefe de la *Luftwaffe*, que estaba al mando de los proyectos más increíbles de la aviación nazi. La conversación fue corta. Le preguntó a Walter si podían construir una gigantesca «Ala Volante» que pudiera recorrer 11.000 kms. Reimar le dijo que le enseñarían los bocetos preliminares, pero con la guerra ya casi finalizada le extrañaba la propuesta. ¿Para qué quería la *Luftwaffe* un bombardero de esas características si ya tenían los cazas *Ho 9* listos para su construcción? Además Knemeyer fue tajante en su propuesta. El proyecto sería de muy alto secreto y para acrecentar el misterio tan solo necesitaban un único avión.

Reimar no hizo más preguntas y tanto él como su hermano se pusieron manos a la obra. Tras las navidades tenían ya la propuesta para el proyecto. En enero la presentaron ante un comité en Berlín. Las mejores compañías alemanas habían presentado las suyas antes, fracasando en el intento. Allí estaba lo mejor de la aviación y la industria alemana. Walter se dio cuenta de que muchos de aquellos directivos conocían su trabajo y no creían en la utilidad de sus estrafalarios aviones. Sin embargo no había tiempo para discusiones, la guerra estaba a punto de finalizar y se necesitaba ese bombardero por alguna poderosa y desconocida razón. Pronto sabrían por qué.

Únicamente el bombardero en forma de «Ala Volante» (*Ho 18*) propuesto por los hermanos Horten era lo suficientemente avanzado como para cumplir los requisitos de una travesía tan larga. Las características del avión eran tan avanzadas a su tiempo que el comité aceptó la propuesta. Baste como ejemplo decir que la superficie del bombardero tendría una capa de pegamento especial a base de carbono, con la cual sería indetectable a los radares americanos de la época. Los Horten habían construido los primeros aviones invisibles al radar casi medio siglo antes que los americanos.

Fue entonces cuando los dos hermanos supieron para qué quería el ejército un único avión de esas características. El *Ho 18* debería despegar de una base secreta alemana realizando un viaje de ida y vuelta a la costa este norteamericana. En un único intento y sin escalas, tendría que cruzar el Atlántico hasta llegar a Nueva York. Una vez allí dejaría caer una sola bomba de 4 toneladas, y regresaría inmediatamente a Alemania sin repostar. La velocidad del avión debería ser muy alta, de al menos 1.000 kms/h. Se llamaría «Bombardero *Amerika*».

El ayudante de Goering les advirtió que deberían olvidarse del caza que habían construido (*Ho 9*), pues de él se encargaban ya otras fabricas. Deberían poner todo su talento para la construcción de ese bombardero. Si lo acababan a tiempo quizás podrían cambiar el curso de la guerra de un solo golpe.

Los Horten jamás supieron cómo era aquello posible, o qué tipo de bomba era capaz de cambiar el curso de la guerra en un solo instante. Nunca fueron informados sobre ello porque formaba parte del secreto. Ellos solo llegaron a conocer el peso de la misteriosa bomba. Solo meses después tras acabar la contienda se dieron cuenta del tipo de artefacto que posiblemente tendrían que haber transportado hasta los Estados Unidos.

Los acontecimientos se precipitaban. En febrero se reunieron en privado con el jefe de la *Luftwaffe*. La residencia personal de Goering se encontraba en Karinhall, a solo 16 kms. de Berlín. Las tropas soviéticas amenazaban con llegar a las inmediaciones. La guerra estaba a punto de acabarse, sin embargo, increíblemente, los mandos nazis tenían aún esperanzas en sus *Wunder Waffen*, las armas maravillosas que habían prometido al pueblo alemán.

Los Horten se encontraban sentados frente a una enorme mesa de mármol. Estaban vestidos con sus uniformes militares. Entonces una gran puerta se abrió y llegó Goering con su ayudante Knemeyer. Goering fue al grano, no quedaba ya tiempo. Se dirigió directamente hacia ellos en una especie de monólogo, y les dijo: «Toda la industria de la aviación alemana ha tenido que admitir que los habéis superado. Estoy entusiasmado con vuestro caza *Ho 9*, y ahora este *Ho 18*. Quiero que me construyáis ese bombardero para mí personalmente, lo más rápidamente posible. Los detalles ya han sido transferidos a varias instalaciones subterráneas para su fabricación. Hablaré con vosotros en unos días. Tendréis que encontrar la manera de hacer ese avión con una autonomía de 11.000 kms, así podré bombardear el continente norteamericano. Lo importante para mí es la distancia que pueda alcanzar ese avión».

No se habló más. Goering dio media vuelta y se retiró a sus dependencias. Jamás volverían a verlo o a hablar con él. Dos meses más tarde fue apresado por los soldados americanos. En 1946 se suicidó en su celda con una cápsula de cianuro, mientras era juzgado por crímenes contra la humanidad en el tribunal de Nuremberg.

En cuanto al «Bombardero *Amerika*», los trabajos preliminares se llevaron a cabo en las instalaciones subterráneas del Harz. Pero los bombardeos y la invasión de la zona por parte soviética hicieron que se trasladara a la fabrica subterránea de Muhldorf. Allí había una instalación al aire libre impresionante. Estaba a medio terminar cuando acabó la guerra. Se trataba de un hangar gigante de hormigón, de unos 50 metros de altura y más de 300 metros de largo. Las dos enormes aberturas del mismo convertían ese enorme «túnel» en un gigantesco aeropuerto cubierto. Probablemente el mayor del mundo. Además estaba hecho a prueba de bombas, con sus paredes de más de 7 metros de grosor. De allí debía despegar y aterrizar sin peligro el bombardero que destruiría Nueva York.

Diseño del Ho18, *denominado "Bombardero* Amerika"*. Debía atacar Nueva York en un viaje único de ida y vuelta.*

Los americanos llegaron a las fábricas de «Alas Volantes» y el taller de los Horten descubriendo el extraño caza de reacción Ho 9. Inmediatamente lo transportaron a los Estados Unidos, donde sería estudiado por la casa aeronáutica *Northrop*. Walter Horten sería arrestado el 7 de abril de 1945 en Gottingen. Cuando un año después escribió una carta a Jack Northrop para seguir en los Estados Unidos su carrera como diseñador de «Alas Volantes», no recibió respuesta. No se trataba de falta de talento, más bien era lo contrario. Tal y como suele ocurrir en otros campos Northrop se había hecho con todas sus ideas y diseños, y comenzó a construir ese tipo de aviones para la industria militar americana.

Tras casi medio siglo de trabajo el ejército de los Estados Unidos presentó dos aviones: uno era el flamante avión triangular *F-117*, cuyos diseños e ideas iniciales habían sido tomadas del *Ho 9*. El otro era el bombardero de largo alcance e invisible al radar, *B2*. Este último es prácticamente igual al «Bombardero *Amerika*» con el que los nazis intentaron bombardear Nueva York. El mundo estaba impresionado ante las extrañas siluetas de estos dos aparatos. Pero para un anciano Walter Horten que entonces vivía retirado en Argentina, donde murió hace unos meses, no era nada nuevo. Había cometido dos errores, adelantarse a su tiempo, y sobre todo, trabajar para una causa injusta.

El bombardero invisible norteamericano B2 *fue construido a partir de los diseños del ala volante* Horten18.

7.2. Von Braun y el misil de Nueva York

Pero la aviación alemana, no fue la única que intentó bombardear Nueva York. Otro de los secretos proyectos nazis para lograrlo vendría de la mano de los cohetes. Y es que en esto también los científicos alemanes habían sido pioneros, iniciando y desarrollando la astronáutica, que después llevaría a la carrera espacial.

Corría el otoño de 1943 y la mayor parte de la industria bélica de cohetes, fue destinada a la base experimental de Peenemünde, un lugar retirado de la costa alemana en el Báltico. Casualmente a finales de 1998 el autor pudo entrevistarse con un exoficial que trabajó en esa base secreta. A. Haberstroh nos describió así sus instalaciones: «Cuando llegué al lugar, la vigilancia era máxima... Existían tres zonas de seguridad, tenías que tener pases especiales para cada una, mi cometido a veces se trataba de que los operarios que lanzaban los cohetes recibieran por radio y con total seguridad el código de lanzamiento que constaba de seis números... la prioridad era absoluta... tenía órdenes de disparar a cualquier mando, incluso de rango superior, que llevara contraórdenes distintas de las originales».

En ese enrarecido ambiente los ingenieros nazis y un nutrido cuerpo técnico, estaban desde el año 1936 desarrollando diversos diseños de cohetes y armamento para la guerra. Al mando de todos ellos un hombre que posteriormente sería clave en el desarrollo de la carrera espacial, y la posterior llegada del hombre a la luna, Wernher Von Braun.

Aun así, la historia de los avances nazis en el campo de la ingeniería espacial comenzaron mucho antes con los diseños de los cohetes *A1* y *A2* que alcanzaban unos 2 kms. de altura, lo cual impresionaba a los escasos entusiastas que existían en ese campo pero no a los altos mandos del ejército, que pedían resultados prácticos para su uso bélico.

Tras la llegada de Hitler al poder, la *Luftwaffe* dotó a Von Braun de medios y personal, decidiendo retirarlos en

Peenemünde donde podrían realizar pruebas balísticas y trabajar con mayor tranquilidad. El objetivo marcado por los jerarcas nazis era claro, conseguir un arma de fácil transporte capaz de volar a unos 275 kms. de distancia con una cabeza explosiva de una tonelada. Estaba claro que el objetivo a medio plazo era bombardear Londres. El primer intento de un arma de ese tipo se realizó el 3 de octubre de 1942 con el diseño de la V2. El cohete despegó correctamente y atravesó la barrera del sonido al medio minuto, consiguiendo una altitud de 85 kms. y cayendo a una distancia de 190 kms, en ese momento Von Braun recuerda que su colega Dornberger le comentó entre el júbilo reinante: «... ¿se da cuenta de lo que hemos conseguido hoy? ¡Hemos diseñado una nave espacial!».

La carrera por el espacio comenzaba, y su aplicación en el campo bélico también, aunque por entonces la *Luftwaffe* no divisaba aún la posibilidad real de bombardear Londres con cohetes, acabarían haciéndolo con las V2 y las llamadas «Bombas Volantes» (V1). Estos últimos aparatos eran una mezcla de avión y misil dirigidos, que se propulsaban mediante unos cohetes de reacción, los llamados «motores pulsantes». Cuando casi todo estaba perdido los nazis llegaron incluso a diseñar las *V1 Reichenberg*. Se trataba de una «bomba volante», pero con cabina de pilotaje. Solo se construyeron doscientos para misiones suicidas, ya que el piloto *kamikaze* no tenía posibilidades de salir con vida de la misión. Aunque parezca increíble la lista de voluntarios para las misiones Reichenberg era de unas 14.000 personas, sin embargo los nazis decidieron finalmente no usar ese tipo de «bombas».

Hitler dio a los proyectos «V» la más alta prioridad, fabricándolos de manera masiva. Al finalizar la guerra se habían disparado hacia Londres más de 8.000 «Bombas Volantes V1». Además Hitler había ordenado la construcción en las fabricas subterráneas de Dora de unos doce mil cohetes V2. Eran los primeros misiles de la historia bélica. Pero para los proyectos más secretos, los ingenieros nazis albergaban en sus cálculos metas más fantásticas.

A partir de ahí e incluso después de la guerra, toda la información sobre dichos proyectos cayeron bajo el manto de las recién creadas agencias de inteligencia, siendo incluso hoy en día poco conocidos por el publico en general. Sin embargo, se ha demostrado que un año antes del final de la guerra en 1944, se llevaron a cabo en Peenemünde las pruebas de las A4 con resultados sorprendentes.

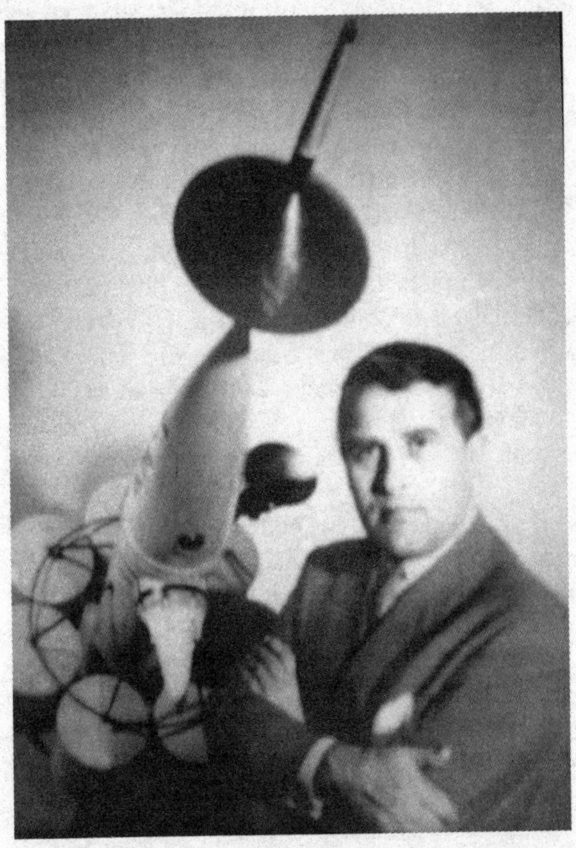

El ingeniero Wernher Von Braun construyó los primeros misiles de la historia y fue el cerebro del programa Apolo, con el que los americanos llegarían a la luna.

Lo cierto es que al llegar los aliados al lugar donde se probaban los cohetes, se encontraron en las plataformas de lanzamiento artefactos mejorados del A4 con una autonomía de vuelo de unos 750 kms. listos para despegar. Además, tras finalizar la contienda en Europa, un grupo de oficiales de inteligencia americanos encontraron en Peenemünde planos y proyectos del A9-A10 más conocido como, la «bomba de Nueva York».

Este gigantesco misil de unos 90 metros de altura debía elevarse hasta el espacio, y cruzar todo el Atlántico a velocidad supersónica en un largo planeo de unos 6.000 kms, con lo que podrían atacarse puntos de la costa este americana desde plataformas situadas en Francia, España o Portugal. El ataque sería fulminante, ya que el misil realizaría su misión en tan solo 17 minutos. Su objetivo prioritario sería Nueva York o bien la capital, Washington.

Se llegaron a diseñar dos tipos de A9-A10. Uno de ellos incluso era un modelo con cabina para pilotaje. Era el más avanzado. Disponía de tren de aterrizaje y un enorme paracaídas trasero que frenaría al cohete en su maniobra de regreso, tal y como lo hace hoy el trasbordador espacial.

El vanguardista proyecto en realidad era el primer misil intercontinental de la historia. Algo que después fabricarían rusos y americanos en la guerra fría ayudados, eso sí, por los técnicos nazis. Nuestro testigo de excepción, A. Haberstroh, recuerda perfectamente la llegada del equipo aliado al campo de pruebas: «Los americanos al llegar revisaron todo, separaron a los ingenieros de los demás militares y se fueron con ellos... los demás quedamos allí». Uno de aquellos cerebros fugados era Von Braun. Fue el jefe del «Programa Apolo» que catapultó a los americanos a la superficie lunar. Un año después de esa hazaña lo nombrarían jefe de la NASA, cargo que ocupó hasta su muerte en 1977.

7.3. El bombardero suborbital *Sänger*: la primera nave espacial

Pero sin duda el proyecto más futurista y adelantado a su tiempo, con el que los nazis querían bombardear los Estados Unidos, era el «Bombardero Suborbital *Sänger-Bredt*». De lejos, el más atrevido invento secreto de la aeronáutica alemana. Consistía en una nave que debería alcanzar una altitud espacial a la fantástica velocidad de *mach* 20 —¡veinte veces la velocidad del sonido!—. A partir de ahí planearía durante miles de kilómetros rebotando, como un plato, en la superficie alta de la atmósfera. Finalmente, tras dejar caer su carga mortífera de bombas, regresaría del mismo modo a su base, aterrizando a 500 kms/h y desplegando unos paracaídas traseros que le facilitarían la maniobra, tras haber cruzado la mitad del planeta. Y es que una de las novedosas características de esta nave era que podía ser reutilizada a las pocas horas de su aterrizaje. La travesía completa duraría nada menos que 27 horas.

La V1 Reichenberg *era una bomba volante pilotada, que podía ser usada en misiones suicidas.*

Al contrario que el actual trasbordador espacial, el avión trasatmosférico nazi no despegaría verticalmente, sino en una plataforma de raíl, casi horizontal, de unos cuatro kms. de largo. Impulsado por tres cohetes *Sänger* (equivalente a 30 misiles V2 nazis), despegaría de la rampa de lanzamiento superando la velocidad del sonido. Se llegó a probar un tipo primitivo de esos cohetes, montados en vetustos camiones alemanes. Pero la potencia de los mismos era tal, que hubo que trasladar las pruebas a aviones en vuelo *He 111*.

Inicialmente se había pensado llevar a bordo de la nave una bomba única de 5 toneladas con uranio radiactivo en forma de polvo. Una vez detonada en Nueva York caería sobre la ciudad una nube radiactiva que sería mortal para la mayoría de sus habitantes

Eugene Sänger, el inventor de la enorme nave espacial, logró huir a Austria sin ser capturado. Ni que decir tiene que durante la guerra fría su proyecto fue uno de los más codiciados por ambas superpotencias. El dictador ruso Stalin intentó secuestrar a Sänger a principios de los años cincuenta para que construyera una nave parecida que le ayudara a

El primer misil de la historia, el V2, fue usado cientos de veces para bombardear Londres.

bombardear a los americanos desde el espacio. Era una de sus obsesiones personales.

Uno de los trabajadores de Sänger, Hans Motsch, que acabó arrestado en un campo soviético para prisioneros, contó la siguiente anécdota años más tarde: «Recuerdo a Vasilli Stalin, el hijo del dictador soviético... venía frecuentemente a visitarnos. Bebíamos todos juntos. Vodka por supuesto. Allí estábamos técnicos y científicos de toda la industria alemana. Y cuando habíamos tomado varios vasos, nos preguntaba por el paradero de los Sänger. Cada vez que llegaba al campo siempre nos prometía que daría su peso en oro a quien le dijera donde encontrar al científico alemán».

Sin embargo Sänger logró trabajar en París junto con su mujer Irene Bredt, más o menos en el anonimato. De su trabajo salieron las ideas que llevarían a la NASA a construir el trasbordador espacial. Aun así, su invento no logró igualarse. Por eso actualmente la Agencia Espacial americana tiene en experimentación el avión espacial *X-33*, muy superior al actual trasbordador, y que tiene una figura bastante parecida al bombardero que Sänger diseñó hace unos sesenta años.

Con el misil A9-A10 *ideado por Von Braun se pretendía bombardear Nueva York.*

Los propulsores espaciales Sänger *eran probados inicialmente en camiones especiales.*

Eugene Sänger, padre del bombardero suborbital nazi.

Capítulo 8

La bomba atómica

8.1. Espías en la Misión Alsos

Noviembre de 1944. Bajo la denominación clave de Misión Alsos, un comando de inteligencia militar dirigido por el científico Samuel Goudsmit entra en la Universidad de Estrasburgo con la esperanza de encontrar a los principales técnicos que llevan a cabo las investigaciones nazis sobre energía nuclear. Tras semanas de búsqueda en las principales ciudades francesas y alemanas, Goudsmit finaliza su misión con éxito capturando a más de veinte científicos alemanes. En la lista figuran varios premios Nobel y personajes de la talla de Werner Heisenberg, uno de los padres de la física cuántica.

Después de meticulosos interrogatorios, visitas a diversos laboratorios y un análisis exhaustivo de varios documentos nazis, Goudsmit llega a la conclusión de que Alemania no solo no posee el arma atómica, sino que sus científicos siempre estuvieron muy atrasados en ese sentido.

Goudsmit seleccionó, según su opinión, a los diez científicos más relevantes del grupo, que comenzaron un largo peregrinaje por media Europa como «prisioneros de guerra», deteniéndose brevemente en Bélgica y Francia, para acabar finalmente en una espaciosa casa de campo inglesa en Farm Hall (cerca de Cambridge). Todo ocurrió dentro de la denominada «Operación *Epsilon*», cuyo objeto era el que los soviéticos (principalmente) y los franceses, no tuvieran acceso al grupo de científicos alemanes.

Lo que sucedió en Farm Hall desde el momento de su llegada, hasta la fecha (diciembre de 1945) en que fueron liberados y devueltos a Alemania la totalidad de los científicos apresados, cayó en el más tupido de los secretos. Lo cierto es que, aunque bien acomodada, la casa estaba abarrotada de micrófonos y aparatos de escucha, aparte de poseer unas excepcionales medidas de seguridad (existía un guarda militar para cada preso).

Durante un año oficiales tanto norteamericanos como británicos pudieron analizar las conversaciones que los científicos tenían entre sí, para determinar hasta qué punto realmente Alemania desarrolló potencial nuclear. Ello dio lugar a que durante muchos años creciera el mito de las famosas «cintas» de Farm Hall, que se decía circulaban en diversos ambientes militares de la época. Hubo que esperar hasta el año 1992 para que finalmente se diera a conocer al público un resumen del contenido de las conversaciones, pues oficialmente, tanto las cintas originales como las transcripciones en alemán de las mismas han desaparecido.

Lo que se desprende de dicha información es que, aunque de gran calidad, el trabajo de los nazis en el campo nuclear estaba anticuado. Todos en general y Heisenberg en particular, ni siquiera conocían la diferencia entre un reactor nuclear y una bomba atómica, e incluso se llegó a decir que algunos de ellos desconocían el plutonio o lo confundían con otros elementos químicos. Según esta versión de los hechos casi todos ellos quedaban al nivel de auténticos analfabetos científicos, e hizo que algunos investigadores e historiadores dudaran de la tesis oficial, pues la verdad parecía ser otra.

Los científicos alemanes no solo estarían más desarrollados que los aliados en el campo nuclear sino que, en cuanto a la bomba atómica, habrían realizado «avances significativos» (según el *New York Times* del 27 de agosto de 1945). Pero vayamos por partes.

Uno de los detenidos en Farm Hall era Otto Hahn, en 1938, que junto con Strassman, inauguró la carrera por la bomba atómica al realizar la primera fisión nuclear de uranio y torio, dándole así a Alemania el liderazgo en el campo nuclear. Anecdóticamente Hahn recibiría el premio Nobel por dichas investigaciones en 1944, mientras estaba detenido en Farm Hall, y años después desarrollaría proyectos nucleares en la España franquista para la J.E.N. (Junta de Energía Nuclear).

Por su parte Heisenberg, en una conferencia impartida en Copenhague en 1943, dejaba claro que los nazis no solo conocían el potencial de una desintegración nuclear en cadena del uranio-235 (base de una bomba atómica), sino que habían desarrollado reactores nucleares propios, necesarios para la obtención del uranio enriquecido y el plutonio que sirven de material para una bomba atómica.

Ahora se sabe que en el inicio de 1944 existían en Alemania unos nueve laboratorios desperdigados por Europa Central y dedicados exclusivamente a la investigación nuclear dentro del programa *Uraniorum* alemán. La mayoría estaban en zonas subterráneas centralizadas en los alrededores de Estugarda. Y allí existía un pequeño pueblo, Haigerloch, encajonado entre dos altas montañas de difícil acceso para los aviones enemigos. Era un lugar ideal para continuar con

Otto Hahn, premio Nobel de Física y descubridor de la fisión nuclear, proceso por el cual es posible construir una bomba atómica. Trabajó en el programa nazi Uraniorum.

los trabajos de investigación. De hecho, el Comando Alsos descubrió finalmente escondido en una gruta excavada bajo una iglesia de Haigerloch (Alemania), el reactor experimental *BVIII*, un tosco recipiente de agua pesada, con un par de inservibles reactores sumergidos en su interior.

Pero las apariencias engañaban, porque el reactor que se encontraron los aliados respondía a un prototipo experimental de otro mayor que fue construido meses más tarde. A finales de febrero de 1945 ese reactor estaba listo, y con él se esperaba producir una reacción atómica sostenida. El sistema era sencillo: los científicos alemanes colocaron unos cubos de uranio suspendidos por finos hilillos dentro de un contenedor. El recipiente estaba lleno de agua pesada. Ese líquido era utilizado por los científicos nazis como controlador de las reacciones nucleares, mientras que los americanos se decantaron por el grafito.

Para que el equipo de Haiherloch llevara a cabo sus experimentos, se necesitaban toneladas de agua pesada, además del material para las reacciones nucleares, el uranio. Los nazis tuvieron acceso al mineral sin procesar, principalmente, tras comenzar la guerra, ya que pudieron esquilmar las reservas y las minas de Checoslovaquia. Asimismo, tras invadir Bélgica en 1940 se hicieron con las riquísimas fuen-

En esta vieja casa de campo de Farm Hall fueron recluidos algunos de los científicos nucleares nazis.

tes de uranio natural del Congo, que son unas de las más grandes del planeta.

En cuanto al agua pesada la invasión de Noruega les proporciono acceso a la Compañía Hidroeléctrica de Vermork, la única unidad europea de producción de deuterio (variante del hidrógeno, esencial para la obtención del agua pesada). Durante los años siguientes miembros de las SS adiestrados embarcaban toneladas del preciado líquido a bordo de un, aparentemente inofensivo, ferry noruego. El cargamento partía rumbo a los reactores experimentales de Alemania, con los que se pretendía generar material suficiente para varias bombas atómicas.

Pero esta línea de investigación nuclear nazi fue gravemente paralizada el 16 de febrero de 1943, cuando un comando formado por seis paracaidistas fueron lanzados sobre un lago helado de Noruega muy cercano a la Central Hidroeléctrica. Todos ellos estaban especialmente entrenados para una única misión. En caso de tener éxito lograrían cambiar el rumbo de la guerra. Se trataba de un intento por parte de los servicios de inteligencia británicos para sabotear y destruir la fábrica de agua pesada. Con el nombre en clave de *Gunnerside* la operación fue todo un éxito. Los comandos lograron burlar la vigilancia de los guardias alemanes y, tras una pequeña batalla, hicieron estallar las instalaciones vitales de la factoría.

Aunque los alemanes se intentaron rehacer de ese duro golpe, la paralización total del proyecto de agua pesada tuvo lugar nueve meses más tarde, cuando 170 bombarderos aliados dejaron las instalaciones de Vermork hechas cenizas. Durante ese ataque murieron veinte civiles noruegos. Los militares británicos pensaron que el sacrificio y las bajas sufridas para el éxito en la destrucción de la nefasta fábrica tendría como recompensa la paralización completa del proyecto atómico nazi. Pero desgraciadamente se equivocaban.

Cuatro meses después de los bombardeos los servicios de inteligencia advirtieron que soldados de las SS se disponían a transportar todos los *stocks* de agua pesada que aún quedaban en Noruega. Se usaría de nuevo otro inofensivo ferry, que aparentemente transportaba civiles entre dos localidades cercanas. Los aliados no se lo pensaron dos veces, y de nuevo destruyeron la mortífera embarcación en el lago Tinnsjo, cuando ya se disponía a partir rumbo a Dinamarca. Esta vez los mandos aliados respiraron tranquilos. La oscura sombra de la amenaza nuclear nazi parecía esfumarse rápidamente. Pronto se dieron cuenta de que estaban de nuevo equivocados.

El jefe en Europa del equipo *Alsos*, Samuel Goudsmit, cometió un grave error creyendo que toda la investigación nuclear nazi se centraba en el equipo formado por Heisenberg, Hahn y Von Weizsäcker (que diseñó reactores nucleares). Dejó fuera de los detenidos a importantes investigadores como Fritz Bopp, que era el más dinámico personaje del proyecto *Uraniorum*, ya que bajo su dirección se desarrollaron nuevos métodos para producir agua pesada, se construyeron reactores nucleares y se separaron isótopos de uranio. De todo esto tuvieron constancia los integrantes del equipo americano *Alsos*, cuando descubrieron algunos documentos alemanes en Estrasburgo que hablaban de la fabricación de agua pesada y uranio enriquecido (componente básico de una bomba atómica) en un pueblecito cercano a Oranienbug. Casualmente muy cercano a la fábrica donde los hermanos Horten estaban ultimando su versión del «Bombardero *Amerika*», a finales de la guerra. Así pues, los nazis estaban más avanzados en temas atómicos de lo que se creía.

Hoy en día se sabe que existía otra línea de investigación, además de las dos oficiales anteriormente comentadas. Esa línea estaba rodeada de un absoluto secretismo. Hasta el punto de que por ahora solo nos quedan leves huellas de ella, al menos hasta que algún día del siglo XXI los Estados Unidos muestren a la opinión publica todo lo que guardan celosamente sobre ese avanzado proyecto nuclear nazi. Pasados ya seis décadas de los acontecimientos, no se ha dado a conocer porque, como veremos, está estrechamente relacionado con su propio proyecto nuclear y las consecuencias de toda esta historia, en caso de confirmarse, podrían afectar a su seguridad nacional.

Esa línea secreta de investigación estaba dirigida por Manfred Von Ardenne y Frith Bopp. Von Ardenne era una especie de Edison alemán. En 1930 inventó el primer escáner de la historia. Un año más tarde, la primera televisión electrónica del mundo y finalmente en 1937 el primer microscopio electrónico.

El grupo nuclear de Ardenne no dependía del ejército alemán, sino que operaba independientemente bajo la dirección del General de las SS, Hans Kammler. Este tenía incluso prohibido a sus científicos pronunciar la palabra «atómica» fuera de los laboratorios. A casi un mes del final de la guerra ese general se hizo cargo de todos los proyectos más vanguardistas de la maquinaria de guerra nazi. Este grupo elaboró un exitoso método, por el que se conseguía uranio enriquecido, plutonio y agua pesada a mayor velocidad que en Oak Ridge (mayor planta productora del bando aliado). Pero ¿hasta donde llegaron sus investigaciones?

En los días finales de la guerra Goebbels, ministro de propaganda, anunció al mundo que Alemania tenía preparada «una sorprendente y poderosa arma, un arma definitiva, que cambiaría el signo de la contienda de un solo golpe, dando la victoria final a Alemania». Por las calles de Berlín oficiales nazis de alto rango animaban a la población para seguir resistiendo. Esparcían un curioso mensaje casi puerta a puerta. Aseguraban que Hitler disponía de al menos una bomba atómica y que estaba a punto de ser utilizada.

Según el historiador militar David Mihra, que ha sacado a la luz gran parte de los proyectos y el material gráfico de los hermanos Horten, los nazis tenían capacidad suficiente para generar bombas atómicas en un periodo de tiempo razonable. Según él, los físicos nazis de las SS construyeron dos esferas atómicas de 1.000 kgs. cada una en marzo de 1945.

Una de ellas estaba basada en capas alternadas de parafina (queroseno) y uranio. Se suponía que la bomba debería estallar con una fuerza inimaginable cuando fuera lanzada desde un avión e impactara brutalmente contra el suelo. Entonces se juntarían todas las capas de uranio y se generaría una reacción en cadena. La otra, sin embargo, estaba basada en el agua pesada.

Mihra asegura que las tropas francesas encontraron esos dos contenedores en un tanque lleno de agua, muy cercano a las instalaciones de investigación nuclear de Haigerloch. A pesar de que el equipo *Alsos* se desplazó inmediatamente al lugar situado al sur de Stuttgart, los franceses volaron el sitio destruyendo todas las instalaciones, así como las dos esferas llenas de uranio.

Pero si eso hubiera ocurrido así, habrían quedado restos radiactivos en la zona que incluso podrían ser medidos hoy en día con un buen detector de radioactividad. Pues bien,

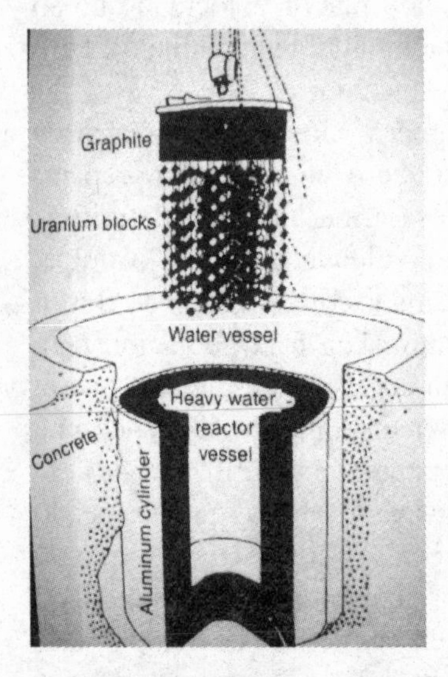

Esquema del reactor nuclear de Haigerloch.

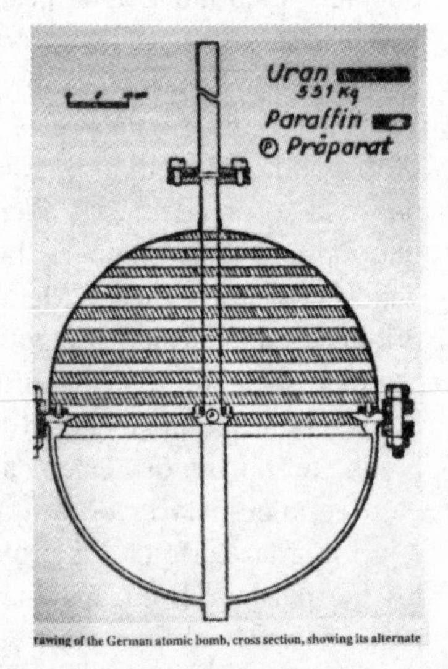

Esquema de la bomba atómica nazi.

algunos investigadores lo han hecho y los resultados son ambiguos. Las mediciones en la zona muestran tímidas concentraciones de radiactividad, más propias de un campo de investigación nuclear donde no se tomaban las debidas precauciones, pero muy inferiores a lo que cabría esperar si se hubiera destruido el material atómico con explosivos.

8.2. Noviembre de 1944, isla de Rügen: primer ensayo atómico

De todas formas, si la Alemania nazi tubo alguna vez disponible un artefacto nuclear, debieron haberlo probado en algún momento, al igual que hicieron con todo su armamento experimental. El hecho de que no parecieran existir datos o documentos de semejante prueba avalaba la teoría oficial de que Alemania jamás dispuso de capacidad nuclear. Sin embargo eso no es del todo exacto.

El dictador italiano Mussolini estaba ansioso de saber algo sobre el tema, pero cada vez que afrontaba el asunto se le respondía con un muro de silencio. Su oportunidad llegó en abril de 1944, cuando Hitler le habló por primera vez de las armas secretas durante un encuentro que celebraron en las cercanías de Salzburgo, en el castillo de Klessheim. La primera charla, de alrededor de una hora, sirvió a Hitler para trazar un panorama de la situación general, política y militar. Fue un monólogo en el curso del cual el jefe del III Reich vertió sobre los presentes un torrente de impresiones y de declaraciones.

En aquella época Hitler se encontraba fatigado, perdía la vista rápidamente y, desde luego, se notó que caminaba inseguro, seguido de continuo por su médico personal. Durante las discusiones estuvo sin embargo vivaz y agresivo. Afirmó que la conclusión de la guerra sería sin duda victoriosa porque el inmediato empleo de nuevas armas desharía los planes enemigos.

El dictador nazi paseaba por la estancia mientras Mussolini, sentado en un sillón, lo miraba intensamente, ansioso de saber la verdad, entonces Hitler dijo: «Tenemos aeroplanos de reacción, tenemos submarinos no interceptables, artillería y carros colosales, sistemas de visión nocturna, cohetes de potencia excepcional y una bomba cuyo efecto asombrará al mundo. Todo esto se acumula en nuestros talleres subterráneos con rapidez sorprendente. El enemigo lo sabe, nos golpea, nos destruye, pero a su destrucción responderemos con el huracán y sin necesidad de recurrir a la guerra de los bacilos (guerra bacteriológica), para la cual nos encontramos igualmente a punto». Con las manos a la espalda, la cabeza baja, medía el largo y ancho de la sala, que resonaba a sus pasos. En un momento dado se detuvo y, dirigiendo sus ojos enrojecidos sobre sus huéspedes, añadió: «No hay una sola de mis palabras que no tenga el sufragio de la verdad, ¡Veréis!». ¿Se encontraba entre ese nuevo arsenal, la bomba atómica?

A principios de octubre de 1944 el periodista italiano Luigi Romersa, ya famoso por su reportaje sobre la liberación de Mussolini efectuada un año antes por tropas especiales alemanas, recibía del *Duce* una misión extremadamente importante: viajar a Alemania con objeto de informarle de los avances realizados en el III Reich en el campo de las armas secretas. Romersa visitó las instalaciones subterráneas de Turingia, las rampas de lanzamiento de las todavía desconocidas V-2, y lo que sería más importante, una prueba de la bomba atómica alemana totalmente operativa.

En varios artículos escritos desde 1947 en prestigiosas revistas militares europeas, Romersa declaró ser testigo de una prueba nuclear alemana el 12 de octubre de 1944 a las 11´45 a.m. en la isla de Rügen, en el Mar Báltico y próxima a la base de Peenemünde, donde se realizaron la mayor parte de las investigaciones sobre cohetes. Pero, ¿qué observo Romersa realmente? Estas fueron las impresiones que pudo explicar años más tarde, sobre su histórica experiencia:

Viajé a Alemania en automóvil con un salvoconducto personal de Mussolini. En el cuartel general de Hitler en Rastenburg, en Prusia Oriental, el jefe del III Reich en persona después de haber leído la carta de Mussolini me autorizó a visitar las fábricas de armas secretas y a asistir a varios experimentos.

En la noche del 11 al 12 de octubre de 1944 me encontraba de nuevo en Berlín. Un automóvil militar vino a recogerme al hotel Adlon en el que me alojaba. Uno de los oficiales que se encontraba a bordo del vehículo me comunicó que al regreso del viaje sería recibido por el ministro Goebbels. Pregunté que a dónde íbamos pero no contestaron. Partimos a las dos de la madrugada. Llovía con insistencia. Una lluvia continua y sutil, desde un cielo bajo, lleno de nubes hilachosas. Llegamos al destino hacia las diez. Solo cuando descendí del automóvil supe que me encontraba en la costa báltica, en las cercanías de Stralsund, y con una motora alcanzamos la isla de Rügen. Este era el centro de experiencias donde se preparaban las nuevas armas alemanas, un lugar secreto, vigilado por unidades especiales y vedado a quien no se encontrase en posesión de un salvoconducto.

Nos dirigimos de inmediato a una zona protegida por árboles. En una vasta área del bosque habían sido preparadas construcciones en piedra y refugios de cemento armado. Entramos en una torre blindada, semienterrada, a través de una puerta metálica que fue cerrada de inmediato. Dentro estábamos cuatro: mis dos acompañantes, un hombre vestido con un mono y yo. «Asistiremos a una prueba de "bomba disgregadora". Es el más potente explosivo descubierto hasta ahora. Destruye todo. No se resiste nada», dijo uno de ellos.

Casi no respiraba. Miraba el reloj y esperaba que fuese mediodía, hora fijada para el experimento. Nuestro observatorio se encontraba a algunos kilómetros de la zona del estallido. «Hasta la tarde habrá que permanecer aquí dentro», —dijo el hombre vestido con mono. «Saldremos al anochecer. La bomba desprende radiaciones que pueden dañar seriamente. Su radio de acción es mucho más amplio que el de una potentísima bomba normal. Más o menos un kilómetro y medio». La lluvia se había hecho más violenta. De pronto, en el interior del refugio sonó el teléfono. Desde la central advirtieron que el experimento había sido anticipado a las 11´45.

Desde del refugio, a la altura de los ojos, tenía una aspillera protegida por un cristal ahumado. Veía solo árboles y tierra baldía y oscura. El teléfono sonó de nuevo. Comunicaron la hora exacta con la cual sincronizamos nuestros relojes. De pronto un bramido tremendo sacudió las paredes de la torre; después de un resplandor cegador, una densa cortina de humo se extendió sobre el campo. Nadie hablaba. Con los ojos pegados a la aspillera miraba la nube que avanzaba compacta. Fuimos engullidos por ella. La sensación era que la torre se precipitaba en un abismo.

Finalmente, el hombre vestido con el mono, que era un coronel del *Heerswaffencunt*, el servicio dedicado a la preparación de los armamentos rompió el silencio y dijo: «Lo que constatamos hoy es de importancia excepcional. Cuando podamos lanzar nuestra bomba sobre las tropas de invasión o sobre una gran ciudad enemiga, los angloamericanos se verán obligados a meditar si vale la pena continuar la guerra o concluirla razonablemente. Hace años que estudiamos este campo. A través de experiencias largas y fatigosas hemos llegado finalmente a la realización del ingenio. Tenemos establecimientos por doquier. Algunos han sido alcanzados y dañados, especialmente en Noruega, pero en Peenemünde todo permanece intacto, si bien los aliados han tratado de arrasar aquella central. En seis o siete meses habremos construido las primeras bombas en serie y entonces las cosas cambiarán, si bien algunos se encuentran confusos ante el empleo de este terrible medio.

En torno a las dieciséis horas, en la penumbra, aparecieron unas sombras. Corrían hacia nuestro refugio. Eran soldados que llevaban extrañas escafandras. Entraron y cerraron tras de sí apresuradamente la puerta. También a nosotros nos dieron una especie de albornoz blanquecino, rugoso y filamentoso. No podría decir de qué estaba hecho, aunque al tacto parecía un compuesto de amianto. Ante los ojos el cubrecabezas tenía un pedazo de mica. Calzamos botas altas pero ligerísimas y metimos las manos en guantes del mismo tejido que el albornoz. Salimos en fila precedidos por los soldados. A medida que avanzábamos la tierra aparecía más revuelta. Hacía frío y la humedad llegaba hasta los huesos en aquel bosque por el que parecía que hubiera pasado una oleada de fuego. En un cierto momento, con el pie golpeé algo. Era la carroña de una cabra carbonizada. Las casitas que pocas horas antes había visto instaladas habían desaparecido, reducidas a montones de piedras. Cuanto más nos avecinábamos al lugar de la explosión más la ruina tenía aspecto trágico. La hierba había tomado un extraño color de gamuza y los árboles que permanecían en pie estaban desprovistos de hojas».

Hasta ahí la impresionante aventura de Romersa. Tratándose de uno de los periodistas más acreditados de la época merecería la pena confirmar sus datos. Lo interesante es que parecen ir surgiendo otros que apoyan su versión de los hechos. Hace unos años aparecieron supuestas fotografías del test nuclear en Rügen. Si todo ello se acaba confirmando, se entendería porque los jerarcas nazis confiaron en su suerte hasta el último minuto.

Esa confianza ciega puesta en la nueva arma, pudo comprobarla Romersa tras regresar de la prueba de Rügen a Berlín. Allí mantuvo una entrevista personal con el jefe de la propaganda nazi, Goebbels. Este le dijo: «Sé por el subsecretario Neumann que ha asistido a un experimento en Rügen. Con estos y otros medios que en algunos meses estaremos en condiciones de producir en gran número, podremos inferirle al enemigo un golpe decisivo. La bomba disgregadora, cuya fabricación en serie ha comenzado con un notable retraso sobre la fecha prevista, será la gran novedad de este siglo. Una contramedida, si tiene lugar, no será posible antes de un par de años, cuando la guerra será ya un recuerdo... El agua pesada es el elemento esencial para la fabricación de la bomba disgregadora. Ya antes de la guerra habíamos avanzado por ese camino, pero las investigaciones se suspendieron a causa del desarrollo favorable de las operaciones militares. El *Führer* estaba convencido, como por otra parte lo estaban muchos de sus colaboradores, que el conflicto se resolvería victoriosamente sin necesidad de recurrir a este tipo de armas».

Parece ser que la magnitud de la supuesta explosión atómica de Rügen fue captada fotográficamente desde varios

Fotografía de la explosión atómica de Rugen en 1944.

lugares de la costa báltica, y la onda sísmica provocada por la detonación fue detectada en la distante Estocolmo. Incluso toda la zona del Báltico y la zona norte de Alemania se vio afectada por un repentino corte de luz que se logró reparar horas más tarde.

Quizás por eso dos meses después, el 16 de diciembre de 1944, un entusiasmado Mussolini pronunciaría su último discurso público ante miles de fascistas en el Teatro Lírico de Milán, anunciándoles el inminente ataque germano contra las principales ciudades aliadas. Un ataque definitivo con bombas y cohetes de potencia extraordinaria, bombas con capacidad de destruir ciudades enteras en un instante.

8.3. La aventura del submarino *U-234*

Los historiadores oficiales cada día se encuentran con más datos que apoyan esta versión. Desde la década de los noventa empezaron a salir tímidamente nuevos documentos desclasificados por parte del Archivo de Guerra Británico y los servicios de inteligencia americanos, que parecen demostrar que no solo los nazis habían tenido éxito en su programa atómico, sino que la captura de su material nuclear cuando perdieron la guerra fue determinante para el éxito del Proyecto Manhattan (el programa que construyó las bombas atómicas americanas). Una de las historias que se cuentan en esos documentos es la captura del misterioso submarino *U-234*.

El 15 de abril de 1945 varios submarinos alemanes *U-Boot* partieron del puerto noruego de Kristiansand, la mayor parte con destino a lejanos puntos del planeta. Un mes más tarde en el océano Pacifico los americanos capturan uno de ellos. Se trataba del submarino nazi *U-234*; con un diseño revolucionario de tamaño tres veces más grande de lo normal y con rumbo a Japón. Encontraron en sus bodegas un inquietante «botín»: planos y piezas para construir cohetes similares a las V2, las piezas de un caza de reacción *Messerschmitt* 262 totalmente desmontado, una cantidad increíble de diferentes materiales tecnológicos, y lo más sorprendente... piezas para la construcción de una bomba atómica de diseño nazi. Pero no acababan ahí las sorpresas, ya que en varios de los tubos destinados al transporte de torpedos se encontraron unos envases metálicos que contenían varios kilos de uranio enriquecido (*U-235*) altamente radiactivo. Concretamente 560 kilos de material fisible, con el que podrían construirse del orden de unas seis o siete bombas atómicas como la que caería sobre Hiroshima tres meses después.

El objetivo de ese formidable botín era que Japón construyera la bomba atómica, para así poder derrotar a los americanos que aún estaban en guerra. Pero eso nunca sucedió, ya que el 23 de mayo se transmitió el descubrimiento a la base naval de Portsmouth, en donde decidieron que todo el material, incluido el uranio, fuese llevado a Los Álamos (desierto de Nuevo México). Allí se probaría varias semanas más tarde la primera bomba atómica oficial de la historia. Sin embargo, incluso en este punto hay varios misterios inquietantes.

Una de las personas que más se ha acercado a la verdad de estos hechos es el historiador español Antonio Chover. Tras una minuciosa investigación ha logrado contactar con las dos personas que aún sobreviven del *U-234*: el oficial de carga del submarino que tenía la responsabilidad de saber todo lo que se metía en el mismo para la larga travesía, y el jefe de las radiocomunicaciones, Wolfgang Hirschfeld. Ambos son categóricos, y afirman cosas sorprendentes.

Junto a los envases metálicos, que iban recubiertos de oro para evitar su corrosión, se encontraban dos oficiales japoneses. Uno de ellos rotulaba cada envase con las siglas *U-235* en gruesa tinta negra y a continuación, dos marinos alemanes introducían el paquete con visible esfuerzo en un departamento de carga delantero del submarino. Fue exactamente en esa zona del submarino donde los americanos medían la radiactividad insistentemente con detectores Geiger a su llegada al puerto de Portsmouth.

Pero más interesante aún es el hecho de que entre los militares americanos había un civil. Este personaje destacaba por su altura. Cuando Hirschfeld se disponía a abrir los envases advirtió su presencia y preguntó por él. Le dijeron que se trataba de un tal Julius Robert Oppenheimer. Entonces ese nombre era absolutamente anónimo, pero un par de meses más tarde se haría mundialmente famoso como el «padre de la bomba atómica». ¿Habían usado los americanos todo ese material para su bomba atómica?

Lo cierto es que actualmente se sabe que dos meses antes de acabar la guerra, los científicos del Proyecto Manhattan estaban totalmente estancados. Es algo que nunca han publicitado pero comienza a saberse. La bomba de uranio probablemente funcionaba pero no podía ser construida, ya que no tenían uranio suficiente. En cuanto a la bomba de plutonio, no sabían hacerla detonar porque los «disparadores electrónicos» de que disponían no eran suficientemente avanzados.

8.4. ¿Era americana la bomba atómica de Hiroshima?

El botín de guerra del submarino nazi *U-234* salvó esa agónica situación. De hecho no solo aceleró el proyecto americano de bomba atómica, sino que fue decisivo para su éxito. En el interior del submarino nazi se encontraron 1.200 fusibles infrarrojos construidos por Von Ardenne listos para ser usados. Los americanos cogieron 64 de esos vanguardistas fusibles, y con ellos pudieron hacer detonar su primera bomba atómica de plutonio. Era el 16 de julio de 1945.

Pero la historia no acaba ahí. Actualmente existen serias dudas acerca de si en la bomba de Hiroshima se había usado el material nuclear encontrado en el submarino nazi. ¿Habían utilizado los americanos uranio nazi para bombardear Japón en 1945? Tras acabar la guerra con Alemania los Estados

Unidos no disponían de suficiente uranio para su bomba. En ese sentido los 560 kgs. de uranio enriquecido del *U-Boot* nazi habrían sido providenciales.

Es fácil encontrar documentación sobre el proyecto de la bomba de plutonio. Cada una de las fases de su desarrollo está suficientemente explicada en miles de artículos y declaraciones efectuadas por los artífices del Proyecto Manhattan. Sin embargo, es mucho más difícil encontrar documentación desclasificada de la bomba de uranio lanzada sobre Hiroshima.

Por otra parte ya existen acaloradas discusiones entre los especialistas, acerca del diseño de la propia bomba de uranio. Ni la bomba de Hiroshima ni la de Nagasaki parecen ser exteriormente de construcción americana. Ni una sola bomba empleada por los Estados Unidos durante la guerra tiene un diseño de cola y aletas en «caja», como era habitual en Alemania durante los dos últimos años de la guerra. En la bomba

El submarino nazi U-234 *es acompañado por varios barcos americanos a la base naval de Porstmouth.*

de Nagasaki pueden apreciarse las uniones soldadas mediante la técnica de soldadura por arco, desarrollada por Alemania durante la guerra y no empleada por ningún otro país hasta después del conflicto.

Según todos los registros fotográficos, las bombas lanzadas sobre Hiroshima y Nagasaki eran originalmente de color verde oliva oscuro, el estándar típico del ejército alemán, pero las que caen en las ciudades japonesas están repintadas en azul eléctrico (Hiroshima) y en amarillo con bandas negras (Nagasaki) ¿Un intento de borrar las indicaciones en alemán escritas sobre ambas bombas?

Es curioso que en las primeras declaraciones que hicieron algunos personajes relevantes, tras la «euforia» del lanzamiento de las bombas atómicas en Japón, se colaran algunas afirmaciones difícilmente explicables y que no coinciden

El físico teórico Julius Robert Oppenheimer, padre de la bomba atómica.

con la actual versión de los hechos. Oppenheimer afirma en una inocente entrevista televisada sobre los apuros y prisas que la bomba de plutonio había ocasionado a su equipo de trabajo. Al ser preguntado por la bomba de Hiroshima la respuesta es rápida: «Era una bomba que los alemanes ya habían probado, no había nada que investigar, solo usarla».

Pero Oppenheimer no fue el único en ser generoso con sus respuestas. Ni más ni menos que el primer ministro británico Sir Winston Churchill, declaró públicamente y sin ambigüedades que «los alemanes disponían de dos bombas atómicas totalmente operativas al finalizar el conflicto, así como ingentes cantidades de armas nuevas a punto de entrar en combate».

Más de 3 millones de patentes industriales, médicas y tecnológicas alemanas, fueron incautadas o robadas como botín de guerra por los aliados. Sobre esas patentes se ha construido, nos guste o no, el desarrollo tecnológico de los

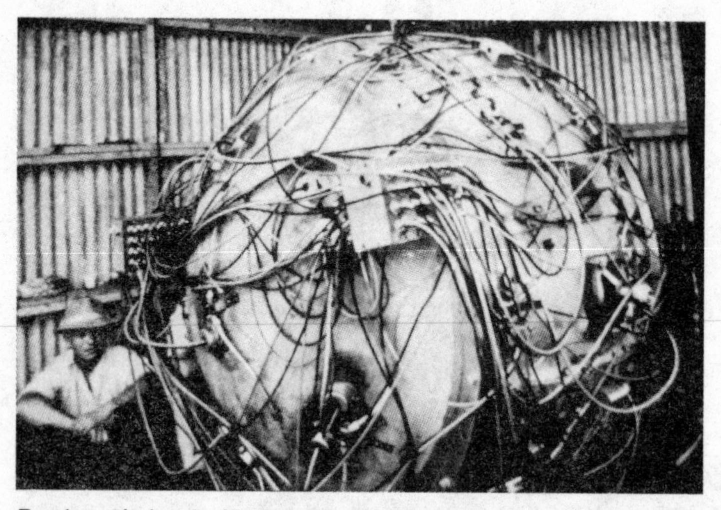

Bomba atómica de Alamogordo. Entre la maraña de cables pueden observarse los disparadores infrarrojos fabricados por el físico nazi Manfred Von Ardenne.

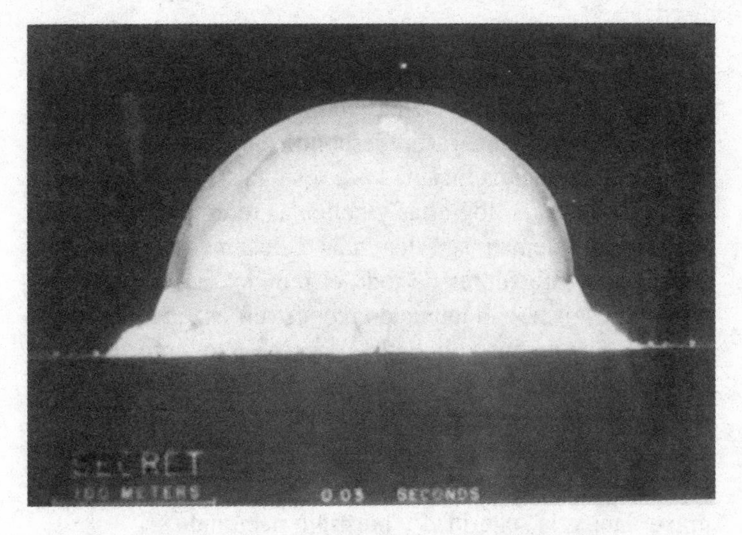

Prueba nuclear de Alamogordo (Nuevo México).
Oficialmente, la primera explosión atómica de la historia.

Fat man, *la bomba atómica que se lanzo sobre Hiroshima. Pueden apreciarse las soldaduras de arco y las aletas en forma de caja en su parte posterior, típicas de las bombas alemanas.*

últimos 60 años. En base al Acta Americana de Libertad de Información (FOIA), todo documento secreto debe ser hecho público antes de transcurrir treinta años desde su clasificación. Pero por alguna razón desconocida, esa ley no se aplica a los documentos incautados a los nazis.

Los papeles, fotografías y películas referentes al proyecto atómico alemán son los más celosamente guardados. Muchos investigadores de todo el mundo, como el español Antonio Chover, han intentado reconstruir esa historia secreta. Pero cuando han solicitado el acceso a los informes, tras más de seis décadas de ocultamiento, siempre se han encontrado con un férreo muro de silencio. Quizás porque tal y como afirmó en una carta pública del 16 de febrero de 1999 el Departamento de Defensa americano: «...sería causa de un grave daño a la seguridad y prestigio nacional».

Capítulo 9

Los platillos volantes del III Reich

Todo lo que una persona pueda imaginar,
otros podrán hacerlo realidad.
JULIO VERNE

«De los sumergibles especiales provistos de *Schnorkel* y de motores de turbina; de las nuevas bombas V radiodirigidas, de las cuales la última será una sorpresa sin precedentes; de los aviones ultraveloces, de los cohetes A-4 y A-9 teledirigidos, dotados de una autonomía de varios millares de kms. y accionados por un ingenio propulsor alimentado por una mezcla de alcohol y oxígeno líquido; de todo cuanto nuestra técnica ha venido creando a través de inmensos sacrificios y años de estudio, esperamos el milagro. Durante algunos meses aún debemos apretar los dientes, encajar y reaccionar en los límites de lo posible. Necesitamos tiempo. Veinticuatro horas perdidas podrían ser determinantes.

A esta infantería y a estos carros les estamos dando un armamento que el enemigo ni imagina. Tenemos cañones de nuevo tipo, cohetes e instrumentos que nos permiten mirar y disparar en la oscuridad con toda precisión. Esta especie de lámpara invisible es un objeto no más grande que una mano. Con él los vehículos pueden moverse como en pleno día, los artilleros apuntar sin preocuparse de la falta de luz y los carros atacar. Tenemos una decena de cohetes teleguiados cuya potencia es sorprendente y la precisión desconcertante. Cuando el enemigo vea caerle encima una lluvia de A4 y A9, el uno con 10 y el otro con 15 toneladas de cargas atómicas, no sé si juzgará útil seguir combatiendo...». Así se expresaba el ministro de Propaganda nazi, Joseph Goebbels, en octubre de 1944.

Todos los expertos en armamento del III Reich han destacado un hecho evidente: si la investigación se hubiese adelantado tan solo un año, el resultado de la contienda podía haber sido muy distinto. El propio sistema nazi de investigación y desarrollo que solía duplicar e incluso triplicar el número de equipos destinados a construir el mismo proyecto bélico, facilitó una altísima creatividad a sus técnicos. Sin embargo, propició también el derrumbe final del régimen bajo el peso de los abultados y multimillonarios gastos destinados a las revolucionarias «armas maravillosas», como Goebbels las denominaba públicamente.

Lo cierto es que, a pesar de que Alemania contaba en la década de los años veinte y treinta con la mayor parte de los premios Nobel del mundo, ello no es razón suficiente para explicar cómo en tan solo seis años de Guerra Mundial se adelantó cuatro décadas a la tecnología del momento. Algunos inventos y desarrollos de la época que se han dado a conocer últimamente ni siquiera han podido ser copiados con éxito.

9.1. Armas de ciencia ficción

Dentro de ese armamento casi mágico para la época destacaban las «armas limpias». Uno de ellos era el «cañón de viento». Diseñado en Stuttgart durante la guerra, era un tipo de arma que podía emitir un flujo pulsante de aire comprimido. Feo y grotesco en apariencia, estaba construido con un gran caño curvo con un codo en forma de giba. Sin embargo era una maravilla de precisión química, pues actuaba con una mezcla crítica de oxígeno e hidrógeno en proporciones moleculares seleccionadas.

Lanzaba, tras una violenta detonación, un proyectil de «viento», una especie de golpe de aire comprimido y vapor de agua con potencia suficiente similar al efecto de una granada. Las pruebas se realizaron en Hillersleben, y se logró destruir planchas de madera de 2,5 centímetros de grosor a 183 metros de distancia. Un prototipo experimental se instaló en un puente sobre el Elba poco antes de acabar la guerra, aunque nunca llegó a ser usado.

A principios de los años 40 el doctor Richard Wallauschek desarrolló un arma revolucionaria a la que denominó «cañón sónico». Estaba formado por dos reflectores parabólicos conectados por varios tubos que formaban una cámara de disparo. A través de los tubos entraba en la cámara una mezcla de oxígeno y metano que era detonada de forma cíclica. Las ondas de sonido producidas por las explosiones, por reflexión, generaban una onda de choque de gran intensidad que creaba un rayo sónico de enorme amplitud. La nota aguda que enviaba superaba los 1.000 milibares a casi 50 metros. A esta distancia, medio minuto de exposición mataría a cualquiera que se encontrara cerca, y a 250 metros seguiría produciendo un dolor insoportable. Esta curiosa arma no fue nunca empleada en un campo de batalla (era muy voluminosa, pues el segundo reflector medía más de 3 metros), aunque hay rumores de que se hicieron pruebas con animales.

Pero quizás las «armas limpias» más increíbles fueron las medioambientales. Una de ellas generaba torbellinos con los que se pretendía abatir a los aviones enemigos. Era el «arma vórtice». Se construyó en el Instituto Experimental de Lofer, en el Tirol austriaco. Diseñado por el doctor Zippermeyer, tenía como base un mortero de gran calibre que se hundía en el suelo y disparaba proyectiles cargados de carbón pulverizado y un explosivo de acción lenta. La mezcla, al explosionar, debía crear un tifón artificial que derribaría cualquier avión que se encontrase en las proximidades.

A pesar de que los primeros experimentos fueron un fracaso, la idea era buena y fue rápidamente mejorada. Se filmaron películas de alta velocidad para analizar los torbellinos producidos. Se llegó a la conclusión de que efectivamente se podrían producir oscuros y enormes torbellinos a base de polvo de carbón, con la potencia suficiente para romper las alas y la estructura de los aviones aliados. El alcance del arma se cifró en unos 150 metros. Y aunque nunca se pusieron en práctica, las «armas de viento» basadas en conceptos similares, llegaron a usarse contra los resistentes polacos en Varsovia en el final de la guerra.

Otro de los estrafalarios artefactos que pretendía usar los fenómenos naturales como arma era el «cañón solar». Los bocetos iniciales mostraban un gigantesco reflector que, a modo de espejo, debía captar una gran cantidad de rayos solares focalizándolos en una zona determinada. Esto generaría una enorme ola calorífica que pretendían usar, igualmente, sobre los enjambres de aviones hostiles. El modelo experimental fue capturado por los americanos y no se volvió a saber nunca nada más acerca del mismo.

El Cañón de Viento no pasó de una fase experimental.

Jamás sabremos hasta qué punto se desarrollaron las investigaciones sobre armas climatológicas. La mayoría de los documentos sobre ellas la destruyeron los propios comandos de las SS tras su rendición en la isla ártica de Spitzbergen ¡seis meses después de acabada la guerra! Y lo que quedó, se lo llevaron rápidamente los americanos. No se sabe cuáles eran sus técnicas o sus objetivos, pero parece ser que pretendían cambiar y alterar el clima de extensas zonas del planeta con grandes emisores electromagnéticos que apuntaban a las capas altas de la atmósfera. Curiosamente algo parecido ha desarrollado el ejército americano en Alaska con su proyecto para las auroras boreales denominado *Haarp*.

Relacionado con esos experimentos nos encontramos con la «bomba endotérmica». Se trataba de explosivos que serían lanzados por aviones de gran radio de acción y con capacidad para, al detonar, crear una zona de intenso frío que congelaría en un radio de un kilómetro toda forma de vida de manera temporal. Es uno de los ingenios de los que menos información se dispone.

El increíble Cañón Sónico podía matar a una persona a casi 100 mts. de distancia.

Tal y como comenta el investigador valenciano Francisco Mañez en su obra *El informe Northrop*: «Nada más comenzar Estados Unidos su conquista de la Europa ocupada, el ejército encargó al grupo *Lusty*, mandado por Harold E. Watson, la misión confidencial de descubrir y reunir todo lo que pudieran sobre las armas secretas alemanas antes de que sus propios aliados pudieran llegar a enterarse... Hacia el final de la guerra los ingenieros y técnicos alemanes habían construido armas futuristas que se encontraban en diversas fases de desarrollo... En el campo del radar, el *Flensburg FuG-227* era un detector de cola que advertía al piloto si su avión estaba recibiendo las ondas del radar de un aparato enemigo, el reflector apodado llave inglesa devolvía las ondas saturando e inutilizando el radar enemigo». Pero había más, mucho más.

Las unidades soviéticas que llegaron a la denominada «Cueva de Aladino» cerca de Stolberg, en los complejos subterráneos del Harz, se encontraron multitud de «juguetes bélicos» que el enemigo en su retirada no pudo o no supo destruir a tiempo. Gracias a ello tenemos noticias de la existencia del misil guiado por radio X-7. Era un misil de no más de medio metro que, lanzado desde las alas de los aviones de reacción, era capaz de destruir tanques a una distancia de casi dos kilómetros. Estaba guiado por control remoto y propulsado por un potente cohete.

Los diseños de las armas guiadas habían comenzado muy temprano en la década de los treinta. En las factorías de la AEG, Focke, Peenemünde, etc, se habían logrado construir las primeras: eran misiles guiados a distancia por cables de alambre, de unos 12 o 16 kms. de largo. Muchos de ellos fueron experimentales y nunca entraron en combate, pero otros se fueron perfeccionando hasta dar con el *Henschel 293*. De este misil se construyeron unas 200 unidades a mediados de 1944. Lanzados desde un avión *He 111*, uno de los pilotos controlaba a distancia con un *joystick*, al igual que ocurre en los videojuegos modernos, la trayectoria y el vuelo del misil hasta su objetivo final. La firma Telefunken a principios de 1945 había dotado a la serie *Hs 293* con cámaras de televisión para ver ¡a los bombarderos enemigos en el interior de las nubes!

El misil radio controlado más perfecto que construyeron los nazis probablemente sea el *Fritz X*. Inventado por un equipo comandado por Max Kramer, que puede considerarse el padre de las bombas y los misiles guiados, el *Fritz X* estaba especialmente diseñado para hundir barcos armados. Tenía una capacidad de acierto y de penetrabilidad en los cascos increíble. Fue construido en 1943 y puesto en combate rápidamente con un éxito fulgurante.

El 9 de septiembre un *Fritz X* hundió a la fragata *Roma*. Un día más tarde, cuando los aliados desembarcaron en Salerno y desplazaron su buque de guerra *Savannah*, fue atacado sin contemplaciones por varios aviones *Dornier* equipados también con el nuevo y mortífero *Fritz X* bajo sus alas. Incluso tuvo un papel importante durante el desembarco del

Cuando los americanos llegaron a las instalaciones subterráneas de las montañas Harz, se encontraron con cientos de misiles, aviones, y nuevos ingenios bélicos listos para el combate.

«Día D» en Normandía, al destruir de un solo golpe el puente de Pontaubault, lo que propició que la VI división de tanques norteamericanos se viera seriamente retrasada durante unos días.

Así pues, los nazis disponían de un misil aire-tierra excepcional y sin embargo no fue masivamente construido. Cuando el alto estado mayor alemán se dio cuenta de su potencial era demasiado tarde: el 22 de agosto del 44 los bombardeos aliados demolieron su fábrica de Estrasburgo.

Hay que pensar que mientras los alemanes construían estos ingenios bélicos, los aliados ni soñaban con esa tecnología. Sus aviones y bombarderos hasta el final de la guerra siguieron usando el antiguo método de arrojar sus bombas en caída libre, tal y como se había hecho desde la Primera Guerra Mundial.

Esa tecnología afectó a los torpedos también, pero de una manera que casi raya en la ciencia ficción, al menos para la época. El torpedo *L10*, apodado *Blancanieves*, era lanzado contra los barcos enemigos desde un avión y guiado en su parte superior por un cohete con alas radio controlado. El avanzado cohete tenía una «nariz sensorial» en su parte

Las versiones finales del misil Hs293 *llevaban incorporada una cámara de television que enviaba imágenes, usadas para guiar al misil hasta su objetivo.*

delantera, de tal manera que cuando volaba muy cerca de la superficie del agua a una velocidad increíble, esta la detectaba accionando unos resortes que soltaban el torpedo y seguía bajo la superficie del agua hasta impactar contra el casco del buque enemigo.

Más impresionante fue el diseño del torpedo *Bv143*. Tenía forma de delfín y con el cohete propulsor incluido en su estructura. También poseía alas, y era lanzado por un avión a 1.500 metros de altura. Una vez alcanzada la superficie del agua el sensor electrónico de a bordo manipulaba las alas e imprimía más potencia al cohete propulsor, de tal manera que el torpedo volvía a ganar altura sobre la superficie del agua, aproximadamente unos 12 metros. Al poco rato descendía de nuevo a la superficie volviendo a repetirse el proceso anterior, es decir; el torpedo iba rebotando como un auténtico plato en la superficie del agua hasta estallar en la línea de flotación del barco enemigo. Se probaron varios prototipos con gran éxito desde 1940, pudiendo hundir barcos a una distancia de 24 kms. del punto de lanzamiento. Aun así, solo se produjeron un pequeño número de ellos que no fueron usados en combate.

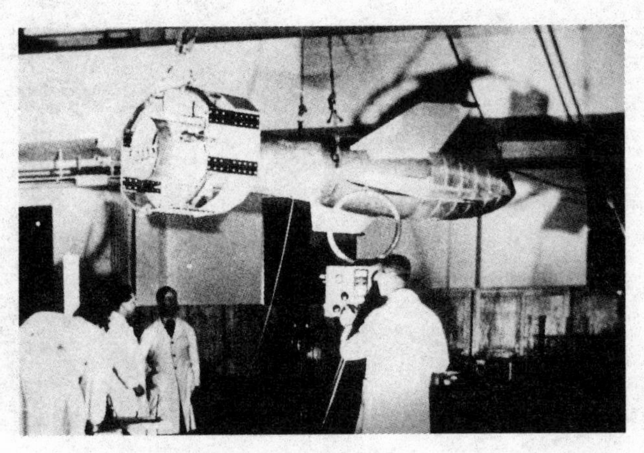

El misil teleguiado Fritz X *fue uno de los más avanzados construidos por los ingenieros alemanes.*

También los misiles aire-aire fueron altamente desarrollados. Disparados desde el suelo deberían interceptar los aviones enemigos. El *Wasserfall* era uno de los más mortíferos: fue construido en la base secreta de Peenemünde por el propio Von Braun, y alcanzaba casi dos veces la velocidad del sonido. El gran costo de cada unidad hizo que no se construyera masivamente, usándose solo en el frente francés. Es curioso ver cómo los misiles antiaéreos *Patriot* que usaron los israelíes en la Guerra del Golfo para detener a los *Scud* iraquíes eran una versión bastante mejorada del *Wasserfall* nazi. Igualmente, los misiles balísticos de Saddam Hussein eran una copia prácticamente idéntica a las V2, que sesenta años antes había usado Hitler contra los ingleses.

Todos esos artefactos hicieron que algunos se plantearan la posibilidad de crear aviones de despegue vertical. Muchos no creían en su existencia, pero efectivamente se llegó a construir uno. El *Bachen 349*, más conocido como *Natter* o avión-cohete «N», era una estrafalaria mezcla de cohete, misil y avión. Fue construido en Wurtemberg a finales de

El Bv143 *era un torpedo con aspecto de delfín, que detectaba electrónicamente la superficie del agua.*

1944; concebido como un «caza de rápida ascensión» era lanzado a través de una rampa vertical, sus cohetes le imprimían una velocidad cercana a los 1000 kms/h. Había una versión dirigida por control remoto y otra pilotada. En esta última el piloto debía entrenarse concienzudamente para conseguir soportar aceleraciones brutales.

Nada en el *Natter* era normal. El morro estaba cortado a rodaja y llevaba 24 minicohetes que debían ser lanzados contra las formaciones de bombarderos. El escape del enemigo en esas circunstancias era virtualmente imposible. El vuelo de esos aparatos era muy corto, de unos minutos, y la mecánica del vuelo era sencilla: en cuanto se divisaran aviones enemigos en formación, el piloto montaría en el *Natter* y la rampa se giraría hacia la formación de aviones, entonces el piloto accionaría los cohetes y saldría propulsado a toda velocidad. En medio minuto habría planeado hacia su objetivo. Una vez cerca, dispararía a la vez los 24 minicohetes y volvería planeando hacia la base de partida. Como no era

Muchos de los misiles y torpedos teledirigidos, eran guiados mediante joysticks *(palancas) idénticas a las que usamos actualmente en los videojuegos.*

posible el aterrizaje, el piloto accionaría un sistema de paracaídas, de tal manera que saldría expulsado de la cabina de pilotaje mientras que el resto del aparato caería suavemente en una zona cercana, donde podría ser recogido para otras misiones.

Se construyeron 23 de estos extraños aparatos. El 25 de febrero de 1945 se probó con éxito el primer vuelo de un *Natter*. Pero tan solo seis días más tarde el piloto de pruebas Lothar Sieber tuvo un accidente mortal, al perder inexplicablemente el conocimiento cuando se disponía a saltar en paracaídas; tan solo habían pasado 50 segundos desde que había despegado. Este incidente retrasó tremendamente el proyecto.

Finalmente, la presión de la guerra y el avance aliado hicieron que la fabricación y los prototipos del *Natter* comenzaran un largo peregrinaje hasta llegar a un pueblecillo austriaco donde Erich Bachen, el inventor de la máquina, fue apresado junto con otros cuatro *Natter* completamente operativos. Se sabe que los soviéticos encontraron 20 más en construcción en las fábricas subterráneas de Turingia.

El Natter *de despegue vertical; llevaba 24 misiles en su morro.*

9.2. De la Cierva y los ovnis nazis

Si algo ha desatado la febril imaginación de investigadores, historiadores aeronáuticos y sobre todo ufólogos, han sido los inventos nazis de forma circular. Ellos nos llevaran directamente al resbaladizo asunto de los platillos volantes nazis. A muchos les sorprenderá que la historia de los ovnis nazis comience en España, pero así es.

El 31 de marzo de 1923 el comandante Lorga de la Fuerza Aérea Española hizo el primer vuelo operativo del «autogiro», cubriendo los 17 kilómetros que separaban Getafe del aeródromo madrileño de Cuatro Vientos. El inventor del aparato, que sería precursor del helicóptero, era el ingeniero español Juan de la Cierva. Tras el fulminante éxito, De la Cierva se trasladó a Inglaterra y empezó a trabajar con Heinrich Focke, que en Alemania estaba ultimando el «giroplano» *Focke C19*, bautizado como «Don Quijote».

Con el paso de los años seguirían diseños más compactos como el *FI 185* o el *Fw 61*. Este último fue el primer helicóptero operativo del mundo que podía despegar y aterrizar verticalmente. Estaba propulsado por dos rotores de hélice y fue usado varias veces por el piloto de pruebas nazi Hanna Reitsch para batir varios récords mundiales de vuelo. Una de sus versiones, el *Fl 225*, tenía una capacidad para aterrizar y despegar en zonas tan limitadas que desempeñó un papel decisivo en el rescate de Mussolini cuando este se encontraba prisionero en el refugio de alta montaña del Gran Sasso.

Así llegamos al increíble helicóptero *Fl 282*, apodado *Kolibri*. Se encargaron unos 900 aparatos construidos en las montañas de Jonasthal. Podía aterrizar y despegar desde plataformas de tan solo 4x4 metros de largo. Sus acrobacias en el aire eran espectaculares, pudiendo volar «marcha atrás». Durante las pruebas, dos cazas de la marina alemana intentaron atacar un *Kolibri* durante 20 minutos. Sus ametralladoras habían sido sustituidas por cámaras. La película filmada demostró que los aviones nunca tuvieron al helicóptero en su punto de mira.

El *Kolibri* fue usado en el Mediterráneo, en el Báltico y el Egeo para buscar submarinos enemigos, y varios de ellos hicieron una defensa férrea de Berlín al final de la guerra. Su curiosa forma y aspecto exterior tiene un sospechoso parecido con el moderno helicóptero americano Apache.

Algunos diseños del Focke nunca salieron de las mesas de dibujo, cayendo posteriormente en el más tupido secreto. El investigador Manuel Carballal en su obra *Ovnis y pilotos*, dedicada a la historia oculta de la aeronáutica, nos habla del espectacular «Caza Milagro»: «Su historia comenzó en 1942, cuando aparece un informe del Centro de Pruebas Aerodinámicas de Gottingen con el título de *El ala motriz*. En ese trabajo se examinaba la posibilidad de combinar los aparatos de propulsión y elevación de una nave, basándose en el vuelo de la libélula como fuente de inspiración».

La idea era construir una nave de despegue vertical con un fuselaje que constaba de un potente motopropulsor, que debería accionar dos hélices contrarrotatorias de gran diámetro, que girarían alrededor del fuselaje. En otoño de 1944 los cálculos para el «Caza Milagro» estaban terminados y no dejaban lugar a dudas. Esa especie de «libélula» voladora alcanzaría casi la velocidad del sonido en vuelo rasante. Nunca se construyó, y si se

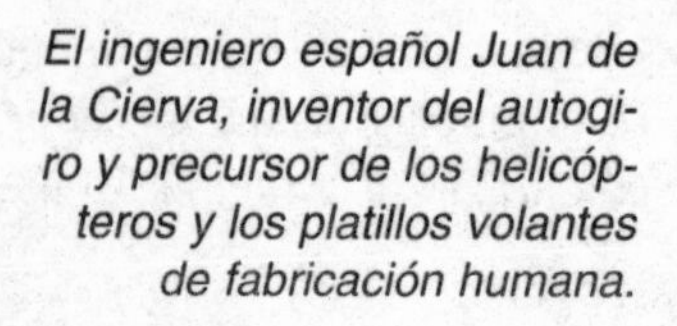

El ingeniero español Juan de la Cierva, inventor del autogiro y precursor de los helicópteros y los platillos volantes de fabricación humana.

hizo, el prototipo fue destruido antes de que llegaran los aliados.

Poco a poco los diseños nazis de despegue vertical eran más y más extraños. Algunos empezaban a construir «aviones circulares». Eran auténticos platillos volantes. Curiosamente De la Cierva falleció prematuramente cuando se dirigía a Londres para entrevistarse con dos ingenieros desconocidos, Rudolf Schriever y Klaus Habermohl. Dos entusiastas del despegue vertical y admiradores de los logros del ingeniero español, que pretendían construir platillos de despegue vertical. ¿Consiguieron hacerlos para los nazis?

Junio de 1944. Después de repetidos intentos el «avión» aumentó su velocidad, dejando tras de sí la pista de aterrizaje de Brandis (Leipzig) y elevándose en el cielo. El hecho sería absolutamente rutinario de no ser porque, dicho aparato, era único en el mundo. Se trataba del *As6*, construido y diseñado por Arthur Sack después de cinco años de pruebas, y representaba un auténtico «platillo volante» por su revolucionaria forma de media luna.

Tras la finalización de la guerra se dio a conocer al público que dicho proyecto de «platillo» no había sido el único y que otros ingenieros como Miethe o el italiano Giuseppe Bellonzo habían desarrollado aparatos para la *Luftwaffe* de Herman Goering. Según testimonios de Andreas Epp, antiguo ingeniero de la *Skoda* que trabajó en dichos diseños en el aeródromo de Praga, se realizaron diversos planos y maquetas de la «peonza voladora» de Schriever y Habermohl.

Efectivamente, los ingenieros Schriever y Habermohl estuvieron probando desde 1941 en las cercanías de Praga un diseño circular que consistía en un aro plano que giraba en torno a una cabina de pilotaje en forma de cúpula, las alas circulares eran orientables, de manera que permitía el despegue vertical. Parece ser que los diseños teóricos continuaron hasta finalizada la guerra con los bocetos del *Haunebu I* y *Haunebu II*, auténticos platillos volantes que, con un tamaño

Los primeros helicópteros nazis estaban inspirados en diseños del ingeniero español De la Cierva.

El helicóptero Kolibri *tenia unas prestaciones en vuelo excepcionales.*

Helicóptero «Apache».

El Focke Tripalas, *despegaba verticalmente e imitaba el vuelo de una libélula.*

El AS6 *fue el primer avión de ala circular movido a hélice que llego a volar.*

Construcción de uno de los platillos volantes de Andreas Epp en los años 50.

de unos 100 metros de longitud, podrían incluso escapar de la atmósfera y realizar viajes espaciales.

Evidentemente el mito de las llamadas «peonzas voladoras» de Schriever comenzó a crear una bola de nieve en donde se mezclaba fácilmente verdad y fantasía. Andreas Epp realizó unas curiosas declaraciones a la televisión alemana en el año 1994 donde comentaba que, aunque ciertamente esos diseños se realizaron, lo único que llegó a funcionar realmente era una versión primitiva de la «peonza» que funcionó con éxito en el aeródromo de Praga en diciembre del 43. Aunque su maniobrabilidad era más bien baja este aparato llegó a obtener una velocidad de 800 kms/h y una altitud en vuelo de unos 25.000 metros. Realmente espectacular pero no increíble, como suelen afirmar algunos ufólogos al hablar de *ovnis* nazis.

Verificar estas asombrosas afirmaciones es complicado, pues a Habermohl se le pierde totalmente el rastro tras la guerra, posiblemente arrestado en Austria y obligado a trabajar para el gobierno soviético en el diseño de «platillos volantes» (alas circulares), mientras que Schriever muere en los años 50 dejando tras de sí una gran cantidad de planos y documentación sobre producción de misteriosos proyectos.

Sin embargo, existe un curioso avistamiento efectuado en el verano de 1943 por personal técnico desde el aeródromo de Praga que puede ser la prueba de que, efectivamente, se estaban experimentando de manera secreta platillos volantes de despegue vertical. Así relata uno de los testigos el extraño incidente:

«Estaba con mis camaradas de vuelo en el campo y, más concretamente, cerca de los edificios de la escuela, a una distancia de unos 2.000 metros del arsenal. El aparato estaba en el hangar; un disco de 5 o 6 metros de diámetro, en el centro tenía un cuerpo relativamente grande, debajo del cuerpo; cuatro patas altas y delgadas, color; aluminio, altura; casi la de un hombre, grosor; de 30 a 40 cm. con un borde de varillaje exterior, tal vez eran orificios cuadrados. La parte superior del cuerpo —casi un tercio de altura total— se encogía sobre la mitad superior del disco, y era plana y redondeada. Vi con mis amigos cómo salía el aparato del hangar. Oímos entonces el estruendo de los motores, vimos el lado externo del disco girar. El aparato se encaminó lentamente y en línea recta, hacia la parte sur del campo. Entonces se elevó casi a un metro. Después de avanzar a esa altura unos buenos 300 m, se paró de nuevo. El aterrizaje fue bastante accidentado.

Mientras algunos guardianes empujaban el aparato hacia el hangar, nosotros tuvimos que abandonar el lugar. Más tarde, la "cosa" voló de nuevo, logrando esta vez alcanzar el final del aeródromo, y yo anoté en mi libro de vuelo las personas allí presentes: Gruppenfluglehrer (profesor de vuelo de grupo) Ofw. Michelsen; Fluglehrer (profesor de vuelo) Uffz. Kohl and Buhler; Flugschüler (alumnos de vuelo): Ogefr, Klassmann, Kleiner, Müllers, Pfáffle, Schenk, Seifert, Siebert, Squarr, Stahn, Weinberger, Zöbele, Gefr, Hering, Koza, Sitzwohl, Voss y Waluda.»

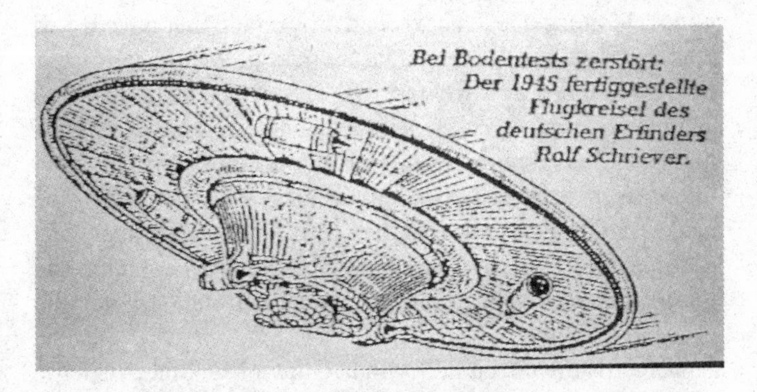

La «Peonza voladora» de Schriever, movida por turbinas de reacción, tal y como fue diseñado durante la guerra.

En cualquier caso, el hecho de que tanto soviéticos como americanos siguieron desarrollando este tipo de aeronaves es evidente puesto que la USAF probó en Norfolk (Virginia) la llamada «torta volante», derivada de esos diseños nazis y perfeccionada en el año 1948 por el XF5.V-1, un auténtico «platillo volante». A partir de ahí todo es nebuloso y tan solo se disponen de datos dispersos.

9.3. Las bolas de fuego de Peenemünde

Otro de los temas que más ha dado que hablar en relación a los supuestos ovnis nazis, es el de las llamadas «minas volantes» o *Foo fighters*. El 13 de diciembre de 1944 el *South Wales Argus* publicaba un sorprendente artículo en el que se decía: «Los alemanes han fabricado un arma secreta coincidiendo con la estación navideña. El nuevo ingenio, que al parecer es un arma defensiva aérea, se parece a las bolas de cristal que adornan los árboles navideños. Se las ha visto suspendidas en el aire por territorio alemán, a veces solas, y otras en grupo; son de color plateado y parecen transparentes».

Poco después, el 2 de enero de 1945, era el *Herald Tribune* neoyorquino el que se expresaba en los siguientes términos: «Parece que los nazis han proyectado una novedad en el cielo nocturno de Alemania. Se trata de los misteriosos y extraños globos *Foo fighters* que corren por las alas de los aparatos *Beaufighters* que sobrevuelan secretamente Alemania. Hace más de un mes que los pilotos en sus vuelos nocturnos se encuentran con esas armas fantásticas que, al parecer, nadie conoce. Los globos de fuego aparecen repentinamente, acompañan a los aviones durante kilómetros y, según revelan los informes oficiales, parecen estar controlados por radio desde el suelo».

Efectivamente, en la Segunda Guerra Mundial existieron diversos testimonios de pilotos aliados sobre el avistamiento de bolas de luz que se divisaban desde las carlingas de los aviones, siendo su origen desconocido. A pesar de que habíamos recibido diversa información sobre ellos no estábamos seguros de su existencia. Pero un importantísimo testimonio nos iba a confirmar de primera mano nuestras sospechas, probando no solo su existencia, sino muy posiblemente su origen.

La tarde del 30 de diciembre de 1998 circulaba despacio por las solitarias carreteras secundarias de Castilla. No era para menos, llovía en abundancia y prácticamente nos habíamos perdido. Mi colega, Miguel Pedrero, miraba con insistencia el mapa de carreteras, poco a poco logramos reconocer el lugar y alcanzar nuestro objetivo. Cuando llegamos ya era de noche y nos encontrábamos en la habitación de un convento. Exactamente en un lugar de cuyo nombre no logro aún acordarme, pero del cual, nos precisó las referencias exactas el meticuloso investigador Marcelino Requejo.

Sentado frente a nosotros conversaba A. Haberstroh, un hombre de avanzada edad cuya profunda mirada de ojos azules delataba la increíble aventura que nos acababa de contar. Mediada la conversación, nos comunicaba lo siguiente: «Sí, yo era cabo de las SS, mi misión y credenciales en Peenemünde eran las de cubrir la seguridad de las instalaciones y del cuerpo técnico de Von Braun», mi compañero y yo nos miramos asombrados, culminaba así una larga investigación de dos años y medio en donde nos habíamos encontrado grupos esotéricos de ultraderecha, sectas, ingenieros alemanes, antiguos combatientes de la Segunda Guerra Mundial, agrupaciones marianas, información de diversos cuerpos de policía y servicios de inteligencia sudamericanos, e incluso ovnis. El único nexo de unión entre ellos era el nazismo, pero la espera había merecido la pena, porque las sorpresas no iban a acabar ahí.

Nuestro testigo en la base de misiles nazis de Peenemünde nos aseguró que él «nunca vio ni oyó hablar de platillos volantes», aunque sí nos inquietó la siguiente afirmación:

«todo lo que vi eran los cohetes *V* en diversas versiones cada vez más grandes, y algunas pruebas de esas bolas que llevaban los cazas... Sí, esas bolas las llevaban los aviones de reacción en sus panzas... las lanzaban contra enjambres de aviones enemigos encendiéndose como bolas de fuego en el aire». Haberstroh posiblemente no lo sabía, pero nos estaba hablando de las famosas bolas de luz, las *Foo fighters*.

Todo coincidía. Tal y como relata el investigador Renato Vesco en su última obra *Man made Ufos*, en la Baviera alpina (Oberammergau) —un centro experimental nazi dependiente del Grupo Schumann—, estaba llevando a cabo el llamado Proyecto *Feuerball*, inventando aparatos increíbles capaces de interferir el funcionamiento de un motor a más de 30 metros de distancia, esa propiedad llamada «interferencia por proximidad» fue utilizada por la *Luftwaffe* para crear los primeros prototipos que fueron llamados por los aliados *full-fighter* y que más tarde se conocerían como *Foo fighters*.

En realidad se trataba de una bola de acero propulsada por un motor de reacción similar al que habían inventado los nazis para sus cazas *Messerschmitt* y, en cuyo interior, se encontraban aparatos eléctricos que, lanzados contra los enjambres de aviones aliados, podían detener sus motores (generalmente motores de combustión que movían hélices). Además llevaban alrededor de la bola un halo de llamas muy luminoso creado por diversos combustibles que tenía la propiedad de «cegar» totalmente los radares enemigos. Aunque la bola de luz era teledirigida en el aire, para hacerla despegar se las transportaba en la panza de los aviones de reacción *Messerschmitt*. Igual que lo había visto Haberstroh.

El proyecto *Feuerball* no era el único que podía confundirse con un ovni luminoso. Cada vez existen más datos sobre el arma *V7*, fabricada supuestamente en Peenemünde. Según los bocetos, era una auténtica mina volante de construcción bastante simple. El explosivo, que tenía forma de esfera, giraba sobre sí mismo elevándose en el aire a gran velocidad y explotando a cierta altura. Desgraciadamente no hay más pistas sobre ella, como tampoco existen de cientos y cientos de proyectos secretos de todo tipo. Los mostrados hasta aquí son solo la punta del iceberg, pero la mayor parte guarda reposo en los abultados archivos de los servicios de inteligencia de medio mundo. Como ejemplo de alguno de ellos, merece la pena mostrar los logros que se habían obtenido en equipos de visión nocturna.

A principios de los años 40 los técnicos nazis comenzaron a desarrollar visores capaces de ofrecer al soldado visión total y efectiva en la más completa oscuridad. Era una absoluta novedad. En un principio consistían solo en una pequeña cámara de mano que funcionaba como un revelador de fotografía, transformando los rayos infrarrojos invisibles en luz visible. Una lente convexa enfocaba los rayos hacia una pantalla fluorescente, por lo que la radiación se hacía visible como en una pequeña televisión. En un principio se probó con éxito como localizador, lo que permitía atacar objetivos ocultos que produjesen calor (motores de vehículos, artillería, etc.).

Los modelos de radiadores infrarrojos del año 45 equipaban series completas de los más avanzados carros de combate —como el Tigre Real o el *Panzer* V— y eran capaces de

A. Haberstroh en un momento de la entrevista con José Lesta.

localizar los vehículos enemigos con una precisión asombrosa. Algunos detectores podían situar la posición de una cañón enemigo a más de 130 kms. de distancia. Los modelos más ligeros fueron instalados sobre fusiles de asalto *Std-44*, para crear unidades de cazadores nocturnos *Nachtjäggers* que, equipados con el «ojo mágico», podían acechar a sus enemigos en medio de la noche. Estos asombrosos modelos, que increíblemente funcionaban además con energía solar, recargándose con una exposición a la luz diurna de un cuarto de hora diario.

Los países democráticos afortunadamente pudimos respirar tranquilos, porque cuando esa tecnología llegó la guerra estaba casi finalizada. Para entonces los bombardeos aliados llevaban meses causando estragos en las fábricas alemanas. Ello hizo que toda la fabricación de armas revolucionarias, así como aviones de reacción y material para la guerra, fuera trasladado a instalaciones subterráneas de las que poco o nada se sabe. La construcción del «Bombardero

En la parte superior de este Panzer V, *se puede observar uno de los primeros sistemas de visión nocturna de la historia totalmente operativos.*

Amerika» sería llevada a cabo en los subterráneos de las montañas Harz. Esas galerías de kilómetros y kilómetros de túneles e instalaciones a prueba de bomba fueron después usadas por los soviéticos para experimentación nuclear durante la guerra fría. Aún hoy el gobierno alemán tiene tapiadas y cementadas todas las entradas al interior de la montaña.

De todas formas, numerosos grupos que llevan trabajos de arqueología moderna suelen hacer filmaciones e incursiones en los cientos de túneles que aún quedan por toda Europa Central. Uno de esos grupos, denominado «Equipo Delta», llegó a introducirse en una de esas instalaciones prohibidas en el verano del 2000, llegando a filmar partes aún intactas de cohetes *V2* nazis. Por otra parte, los historiadores han tenido acceso a informes secretos, donde se calcula que aproximadamente el 25% de esos túneles están aún completamente cegados y por descubrirse. Quien sabe las sorpresas que encierran hoy en día, y lo que podríamos encontrarnos en ellos.

El sistema de visión nocturna Vampir, *fue usado al final de la guerra por tropas de elite en las metralletas* Std-44.

Capítulo 10

Misterio en el búnker

Es extraña la ligereza con que
los malvados creen que todo les saldrá bien.
VÍCTOR HUGO

Cinco de abril de 1970. Dos camiones aparcan de madrugada en una de las calles de la ciudad de Magdeburgo (Alemania Oriental), de su interior sale rápidamente un comando especial del *GRU* (Inteligencia Militar Soviética) que se adentra en el patio interior de una tienda. Horas más tarde, y a la luz de las linternas, desentierran cinco cajas que transportan hasta un bosque cercano.

La extraña misión había sido preparada días antes cuando el jefe del *KGB*, Yuri Andropov, informaba al entonces máximo mandatario de la URSS (en un documento altamente confidencial) que, veinticinco años antes, habían sido enterrados en un cuartel del servicio secreto situado en la localidad de Magdeburgo los cuerpos de Hitler, su amante Eva Braun, el general Krebs, Goebbels y su familia. El informe decía que debían incinerarlos ya que los terrenos serían cedidos al gobierno alemán. Además habían tenido indicios de que el *Mossad* sabía dónde se encontraban los restos de Adolf Hitler y temían un sabotaje por su parte.

La historia era increíble, ¿realmente tenían los restos del dictador?, y si era así, ¿sabían lo que había sucedido realmente en el búnker el último día de la guerra? Las respuestas a esos interrogantes nos llevaran a descubrir algo inesperado y de lo que muchos historiadores prefieren no hablar. La supuesta descendencia de Hitler. Para acercarnos a esa verdad, debemos desempolvar los viejos documentos soviéticos de la llamada «Operación Mito», que fueron dados a conocer parcialmente en 1996. Todo ello representa uno de los secretos mejor guardados del siglo XX. Pero antes, retrocedamos sesenta años en el tiempo.

10.1. Los días finales

Más de cientro trece generales rusos con sus tropas y casi sesenta mil cañones y lanzacohetes comandados por el general soviético Zhukov, rodeaban como una auténtica pared de fuego la capital del III Reich la mañana del 22 de abril de 1945. Berlín estaba literalmente arrasada y en ruinas, como nunca otra ciudad lo había estado en siglos. Una de cada tres casas se consumía en llamas. No se combatía calle a calle, sino edificio a edificio.

Cuando exactamente una semana más tarde se produjo el desenlace final, habían perecido más de medio millón de berlineses. Algunos de ellos, que se atrevieron a colgar sabanas blancas en señal de rendición, fueron asesinados por las propias SS. El *Führer* se había preparado un dramático descenso a los infiernos con un ocaso propio de las óperas de Wagner.

A escasos metros de la puerta de Brandeburgo y del Arco de la Victoria, en pleno corazón berlinés, se encontraba el búnker de la Cancillería. En su interior más de un centenar de personas acompañaban a Hitler en sus momentos finales. Estaban enterrados en vida a más de dieciséis metros de profundidad. Repartidos en dos amplios pisos con multitud de habitaciones y estancias. Disponían no solo de aire, agua y suministro eléctrico autónomo, sino incluso de un quirófano abarrotado de medicinas, y de lujos superfluos como licores, chocolates y víveres importados de distintos países. Algo de lo que evidentemente carecían todos los berlineses.

La tarde del 22 de abril, quince altos oficiales se congregaban junto a una mesa de mármol, llegando a estar en la estancia hasta veintiocho personajes de poca importancia que entraban o salían del búnker. La sala estaba atestada de mapas. En ese momento, una granada rusa de gran calibre sacudió el techo del edificio subterráneo en medio de la conferencia. Todo el personal esperaba la decisión de Hitler de partir hacia el sur, al «reducto nacional» situado entre las montañas de Baviera y Austria. Teóricamente allí se podría resistir durante meses.

Entonces, el general Krebs dijo que la situación en Berlín era crítica —no quería dar la impresión de que todo estaba perdido—. Como resultado, Hitler ordenó que la mayor parte de su cuartel general se trasladase a Berchtesgaden, dejando en Berlín solo un pequeño grupo del ejército, la armada y la aviación. Así pues, partieron varios coches llenos de mujeres y niños, que lograron burlar el cerco ruso y llegar hasta unos aviones, en el cercano aeropuerto de Gatow. No había entonces tropas regulares de la *Wehrmacht* y solo quedaban unidades de *Volksgranadiers* y *Volksturmers*, o sea; ancianos soldados no combatientes y fuerzas improvisadas de dependientes, lavaplatos, camareros, etc.

El ajetreo en el interior del búnker era indescriptible. Continuamente llegaba gente a la carrera diciendo que los rusos estaban cada vez más cerca. Alrededor de las cinco de la tarde se escucharon con toda claridad varias explosiones de granadas en la puerta abierta del edificio. Hitler ordenó cerrar la pesada puerta de acero.

Una de las decenas de testigos de esos últimos días fue Gerhardt Herrgeselle, taquígrafo personal de Hitler, cuya misión era permanecer con el *Führer* incluso en sus conferencias más secretas. Esa tarde debería tomar nota de la reunión en el búnker. Según él, Hitler llevaba pantalones negros, guerrera gris, cuello blanco y corbata negra. No había cambiado su bigote, salpicado de hebras grises, pero era menos abundante el mechón de cabello que le caía sobre la frente. Tenía hinchado y descolorido el rostro, antes tostado por el sol, y los ojos estaban pesados por la falta de sueño.

En la sala estaban Jodl, Keitel y Bormann, máximos mandatarios nazis. La escena parecía más propia de una reunión de pistoleros acorralados, durando únicamente veinte minutos. Hitler dijo: «Veo que todo está perdido. Permaneceré en Berlín. Caeré aquí, en la Cancillería. De esta manera puedo servir mejor al pueblo alemán. Sería insensato proseguir la lucha». Aquellos que le rodeaban le dijeron que había prometido «luchar hasta que quedase un palmo de terreno». Eso significaba retirarse a las montañas alpinas del Sur. Sin embargo Hitler insistió: «Me quedaré aquí. Todo está perdido». Fue el comienzo del bullicio. Todos empezaron a hablar al mismo tiempo. Hitler, golpeó la mesa de mármol con el puño: «¡Silencio! ¡Aquí hablo yo!» Aprovechando la tranquilidad momentánea, les dijo con voz enérgica: «Fuera, fuera. Váyanse al sur de Alemania. Yo me quedare aquí».

Dormitorio de Hitler en el búnker.

10.2. El último vuelo sale de Berlín

Así pues, quedaba claro que el dictador había decidido acabar sus días en la capital. Aquellos que durante décadas han esgrimido teorías sobre la supervivencia de Hitler en Sudamérica, la Antártida o Alemania, probablemente se equivocan. Ello no significa que se produjeran fugas de altos dirigentes nazis hacia esos enclaves y parajes inhóspitos.

De todos modos, los historiadores que afirman que era materialmente imposible la fuga desde el búnker, porque estaba totalmente rodeado por las tropas rusas, se equivocan igualmente. Sin ir más lejos, numerosos aviones aterrizaron días antes y después de la citada reunión en el búnker, usando para ello la gigantesca Avenida de la Victoria —el llamado eje este-oeste de Berlín— que estaba prácticamente a la puerta del refugio subterráneo.

Es más, Hitler incluso pudo haber huido en avión desde el aeropuerto de Gatow —situado a 13 kms. de la capital—

Varios aviones usaron la amplia avenida llamada eje este-oeste de Berlín, como pista de aterrizaje. La zona situada en la Puerta de Brandenburgo se encontraba a escasos metros del búnker de Hitler.

hasta el día 27 de abril. Los últimos aviones de la *Luftwaffe* cargados de fugitivos levantaron vuelo a las doce y media de ese día. Dos horas más tarde, la pista fue ocupada por los rusos.

El último vuelo que llegó a las puertas del búnker fue el protagonizado por Jurgen Bosser. Este joven piloto y extraordinario instructor de vuelo había demostrado ser un maestro en el aterrizaje sobre pistas bombardeadas por el enemigo. La misión que iba a realizar era casi suicida. Eran las siete de la tarde del 28 de abril de 1945. Merece la pena recordar el relato de su aventura para darse cuenta de las circunstancias que rodeaban una posible fuga tan solo día y medio antes de que, supuestamente, Hitler se suicidara, y cuando los rusos estaban a un centenar de metros del búnker. Así relató el piloto su experiencia:

> Yo me hallaba algo bebido y decidí partir. Lo primero que comprobé era que los timones de aterrizaje del avión no funcionaban, de manera que el aparato era prácticamente inútil. Aun así partí. Evité en lo posible los puntos de combate. A las 20´40 me encontraba exactamente sobre el centro de Berlín y, cosa extraña, sin verme sometido a un intenso fuego antiaéreo... Prácticamente solo se divisaban los numerosos incendios que flameaban la ciudad. El humo hacía que la escasa visibilidad fuera todavía más precaria. Di vueltas hasta que por fin encontré el eje este-oeste, y con un poco de imaginación pude adivinar que aquel pequeño punto que veía era la Columna de la Victoria. Piqué hacia aquel punto que se hacía más y más grande. Finalmente enderecé el vuelo para no estrellarme contra el suelo.
>
> Todo eran incendios a mi alrededor. Las nubes de humo me quitaban la visibilidad. Me hallaba en el parque zoológico a la altura de la copa de los árboles, única manera de impedir los disparos de los cañones

antiaéreos rusos... Descendí lo que pude, pero el timón de aterrizaje no funcionaba, así que aceleré. Me encontré casi de frente con la Columna de la Victoria, a unos treinta metros por debajo de la diosa, que parecía hacerme señas con su enorme corona de oro. Tiré del timón y entonces me di cuenta de que las ruedas tomaban contacto con el suelo.

Ya en el búnker me encontré con una situación indescriptible. El olor era nauseabundo. Había algo que semejaba el puesto de mando de la aviación. Entonces se dio aviso al mariscal Von Greim de mi llegada y de que había aterrizado para llevármelo inmediatamente. Dos miembros de las SS corrieron hacia una sala inferior, pues las comunicaciones telefónicas y de radio estaban cortadas... El vuelo de regreso era aún más difícil. Porque me vería obligado a despegar en la misma línea del frente. Pero estaba dispuesto a seguir adelante aunque significara mi muerte y la de mis pasajeros.

Mi aparato, un *Arado 96*, era un biplaza, y tendría que llevarme a Hanna Reitsch (as de la aviación nazi que estaba considerada como el mejor piloto de Alemania). Disponíamos de un espacio reducido, aun así, ella debió ir sentada en las rodillas del mariscal. Todos subimos sin paracaídas.

Una vez estuvimos listos, di gas al motor. El avión se elevó ligeramente. A derecha e izquierda pasaron rápidamente las sombras negras de los árboles. El cielo aparecía rojo como la sangre. Berlín entero ardía en llamas. El vuelo lo realizamos a tan baja altitud que Von Greim recibió un balazo en la pierna. Pero finalmente logramos escapar de Berlín. Cuando llegamos al aeropuerto de Neubrandeburgo, mi deposito de combustible estaba totalmente vacío. Fue la operación más arriesgada de cuantas me confiaron y, sin duda, la aventura más grande de mi vida.

Así pues, queda demostrado que la fuga desde el búnker era posible hasta dos días antes del final. Sin embargo, todo parece indicar que Hitler no hizo uso de esa posibilidad. Realmente ni siquiera podía. El dictador nazi había comenzado a emplear drogas a principios de 1944, cuando su salud desmejoró repentinamente, y el doctor Morell empezó a inyectarle estricnina y un derivado de la belladona para darle más energía y vigor. Al final, la salud se tornó muy mala. Las manos le temblaban, al igual que toda la zona derecha de su cuerpo. Caminaba encorvado, arrastrando los pies, y tenía todos los síntomas de un insomnio incurable.

10.3. El asesinato de Hitler

Curiosamente, el médico que le atendió los últimos días en el refugio bajo tierra no era uno de sus habituales. El doctor Stumpfegger era un teniente coronel de los cuerpos médicos de las SS, que fue nombrado médico del *Führer* a finales de 1944. Este médico era especialista en lo que él llamaba «operación de cuerda de seda». Mediante esta operación, cuyos detalles interesaron después vivamente a los americanos, Stumpfegger había realizado muchos experimentos monstruosos en el siniestro campo de concentración de Ravensbruck, dejando a un destacado número de prisioneros en estado paralítico.

Posteriormente trataba de hacerlos volver a su estado normal con otras intervenciones quirúrgicas. Parece ser que este médico había tenido éxito en bastantes de sus operaciones. Tanto que incluso logró provocar ciertas parálisis parciales en el cerebro de sus víctimas, encontrando también la manera de curarlas en alguno de los casos.

La importancia de este personaje es clave si pensamos en los llamados «dobles» de Hitler. El círculo interno y de amistades del *Führer* conocía la existencia de esos personajes. Hitler llevaba usándolos desde las Olimpiadas de Munich en

1936. Cuando había algún acto protocolario al que no deseaba asistir o era excesivamente peligroso enviaba a uno de sus tres dobles (se dice que tenía más).

De las varias decenas de cadáveres encontrados tanto en el interior del búnker como en el jardín exterior, donde supuestamente se encontraron los restos de Hitler, cuatro correspondían a dobles del mismo. Estos cuerpos trajeron de cabeza a los investigadores rusos para lograr identificar positivamente el destino final del canciller alemán.

Muchos testigos directos aseguran que en los últimos días los comportamientos del dictador eran tan extraños e inusuales, que muchos creyeron que había más de un Hitler actuando en el interior del búnker. Evidentemente la situación que allí se vivía, era difícil y extraordinaria, pero aun así, ¿podría Stumpfegger haber realizado su famosa «operación de cuerda de seda» con alguno de los dobles?

Un interesante e histórico suceso acaecido el 30 de abril de 1945 podría aclarar algo las cosas. Eran las dos y media de la madrugada. Llamaron a las mujeres del servicio porque Hitler quería despedirse de ellas. Todas se mostraron sorprendidas, ya que hacía varios días que no veían a Hitler y creían que ya se había ido. Se colocaron en fila en el pasillo que daba a su habitación privada. Entonces alguien anunció al *Führer*. Efectivamente llegó una figura semiparalítica, escoltada por el doctor Stumpfegger, que «lucía la bata blan-

El médico de Hitler en el búnker, Stumpefegger (izquierda), junto a Martin Bormann (centro).

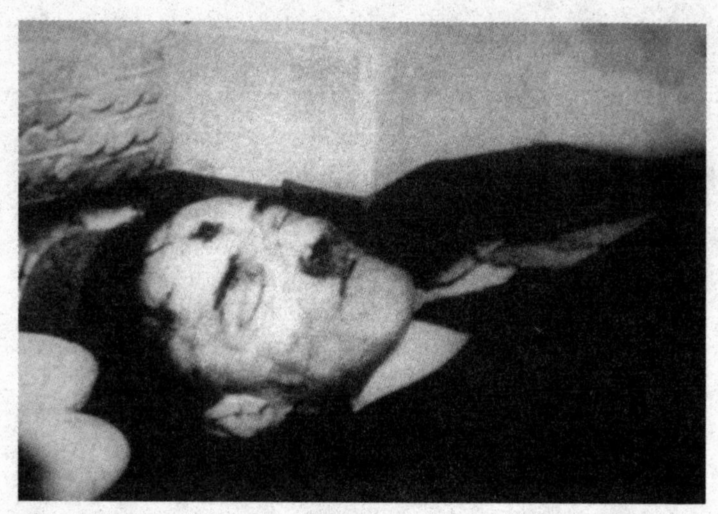

Uno de los presuntos dobles de Hitler encontrados alrededor del búnker.

ca de cirujano». Hitler fue extendiendo su rígida mano a cada mujer, retirándose a continuación a su habitación privada. Lo más curioso de esa extraña escena es que no pronunció palabra alguna, y ni siquiera respondió cuando ellas le hablaron.

Una de las secretarias de Hitler, Traudl Junge, aseguraba: «Estoy segura de que era el *Führer*... pero estaba muy cambiado. Puede que le hubieran inyectado drogas, porque sus ojos estaban vidriosos y no podía mirar fijo. Su mente estaba lejos. Él no estaba con nosotros en el pensamiento, pero era el mismo *Führer*». Restaban solo once horas para su supuesto suicidio. ¿Era Hitler? Nunca lo sabremos.

Lo que sucedió a partir de esas horas hasta el final, entra en el campo de la leyenda y de las suposiciones históricas. Hay tesis de expertos para todos los gustos. Es importante señalar que los que estuvieron hasta el último minuto con Hitler no solo no cuentan la misma secuencia de acontecimientos, sino que claramente se contradicen entre ellos. Pero todos se mantienen en sus versiones a lo largo de los años.

Incluso los que fueron torturados en la Unión Soviética en duros interrogatorios para saber la verdad.

Debido al desmembramiento de la extinta URSS y de sus servicios de inteligencia en los últimos años, se han dado a conocer algunos documentos que han permanecido en secreto durante más de medio siglo, acercándonos así al misterio que rodea a la muerte de Adolf Hitler y dónde se enterraron sus restos finalmente. Esta es la actual versión «oficial» de los supuestos hechos:

La mañana del 30 de abril de 1945 amanecía en un Berlín cuyo cielo estaba encapotado por el humo y las llamaradas de las explosiones, siendo testigo de una lucha en la que medio millón de berlineses atrapados y sin salida morirían defendiendo los últimos metros del III Reich. A media mañana los tanques soviéticos se encontraban a escasos 200 metros del búnker de Hitler. A pesar de que más de 600 personas —en su mayor parte SS franceses— defienden el búnker y la Cancillería del III Reich (que se halla al lado), todo está perdido y Hitler decide morir. En su interior, el movimiento de personal era incesante. El médico de Hitler llegaba con un maletín que contenía el cianuro mortal que acabaría con la vida del dictador. Mientras tanto, en las cercanías del búnker, Kempka (chófer de Hitler) y cuatro miembros de las SS conseguían a duras penas, y jugándose la vida, robar 180 litros de gasolina a los rusos. Con ese combustible se quemarían los cuerpos de Hitler y Eva Braun.

Hitler, junto con su amante, se despide de sus más allegados colaboradores, Goebbels, Bormann, Krebs, etc., y pide que se desaloje la segunda planta del edificio, encerrándose en su habitación. Al mediodía, cuando todos dan por hecho que el suicidio está consumado, Goebbels asiste incrédulo a la reaparición del *Führer* —esta vez sin Eva Braun—, que pide que le sirvan la comida. Concretamente un buen plato de espaguetis que Hitler degusta con aparente buen humor, mientras habla de los viejos tiempos como si nada estuviera ocurriendo. Después de ello, Hitler vuelve a su habitación, son las 15´15.

A las 15´30 una persona, cuya identidad es discutible, pero que posiblemente sea Goebbels, Bormann o Linge (su ayudante personal) se acerca a la habitación y abre la puerta entablando una dura discusión y llegando a forcejear físicamente con Hitler y Braun que, finalmente, deciden tomar las cápsulas de cianuro. Probablemente, y debido a que Hitler era un gran adicto a los estupefacientes, no muere a causa del veneno, por lo que el personaje dispara el tiro de gracia final. Horas más tarde y envueltos en una alfombra grisácea, los cadáveres son llevados hacia la salida trasera del búnker donde son incinerados.

¿Quién había asesinado a Hitler? En un interrogatorio que los espías rusos efectuaron a uno de los guardias personales del búnker, Rattenhuber, no cabe la menor duda de quién acabó con la vida del dictador nazi: «A las cuatro de la tarde, después de hacer la ronda de guardia, llegué al interior del búnker de Hitler. Cuando llevaba pocos minutos en la segunda planta, Linge me comunicó que el *Führer* se acababa de quitar la vida y que él mismo se había visto obligado a cumplir la orden más difícil de su vida.

«Yo estaba al tanto de que el doctor Stumpfegger entregó a Hitler cianuro para él y su esposa. Pero cuando Linge me contó aquello me quedé anonadado. En ese momento me

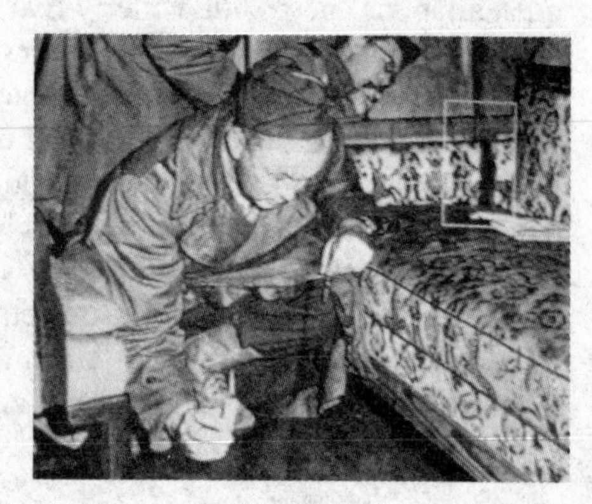

Soldados rusos examinan el sofá donde supuestamente se suicidó Hitler. En el recuadro superior se puede apreciar el reguero de sangre.

dejé caer sobre una silla. Linge continuó diciéndome que había envuelto los cadáveres con unas mantas, y los había sacado por la puerta de emergencia del jardín, donde los habían quemado».

Añadió que en la alfombra habían quedado manchas de sangre. Cuando le miré sorprendido, pues sabía que Hitler había tomado un veneno, me confesó que el *Führer* le ordenó que les dejara solos a él y a Eva Braun en la habitación y que, al cabo de unos diez minutos, si no escuchaba ruido alguno, volviese a entrar y cumpliera su última orden. En el momento en que contemplé a Linge dejar sobre la mesa la pistola de Hitler, una *Walter 7.65*, comprendí que había sido la orden más difícil de su vida».

Así pues, ateniéndonos a este testimonio, fue Linge, el ayudante personal de Hitler, quien lo remató en su momento final. El personaje, al que todos veneraban como a un semidiós ario había sido tiroteado por su propio sirviente.

El 2 de mayo llegan al búnker los primeros soviéticos, se trata del grupo 79 de la *Smersch*, que es el cuerpo personal de inteligencia militar de Stalin y probablemente el más brutal en sus métodos. Al frente del mismo está el teniente coronel Ivan Klimenko, que tenía como misión encontrar el cuerpo de Hitler y sus colaboradores.

Rápidamente encuentran los restos del general Krebs, Goebbels y su familia, que han sido envenenados y quemados. La operación Mito, como se denomina a la investigación llevada a cabo por los soviéticos para la búsqueda de los restos en el búnker, llega a encontrar hasta 23 cadáveres, uno de ellos, que presenta herida de bala en la cabeza y está casi intacto, tiene un parecido asombroso con el de Hitler, pero las pruebas posteriores revelarían que se trataba de uno de sus dobles. Concretamente uno de los pinches de cocina.

El punto culminante llegaría el 4 de mayo, cuando encontraron el cuerpo de una mujer y un hombre calcinados en el interior de una zanja que había en el patio exterior del búnker. Metidos en cajas de madera para munición, y llevados al cuartel de la *Smersch*, comienza la autopsia de los cuerpos.

Al cadáver del hombre, presuntamente el de Adolf Hitler, le falta parte del cráneo y no se encuentra herida de bala alguna. También se hallan restos de cristales en su boca y en la garganta, además de tener la punta de la lengua fuertemente encajada entre los dientes. A su vez, da muestras de haber ingerido una alta dosis de cianuro, y se le diagnostica una anormalidad congénita de nacimiento que consiste en la falta de uno de los testículos.

El día 11 de mayo, asesorados por A. Heusermann, ayudante del dentista de Hitler, se encuentran sus radiografías dentales en los archivos de la Cancillería. Estos dan la prueba definitiva a la autopsia. En el telegrama que se envía a Stalin no dejan lugar a dudas: han encontrado el cuerpo de Adolf Hitler.

Meses después comienza una peregrinación de esos restos por diversas ciudades (Buch y Rathenow) hasta que en febrero de 1946 se entierran finalmente en Magdeburgo tal y como cuenta Vasili Orlovsky, ex-agente de la *Smersch* que

Fosa cercana a la entrada del búnker donde fueron encontrados los supuestos cuerpos de Hitler y Braun.

participó en dichas operaciones. Pero Stalin jamás quedará satisfecho con las pruebas y los restos serán exhumados al menos dos veces para volver a realizar las autopsias.

Aspecto exterior del búnker dos días después del suicidio de Hitler.

Única foto existente del supuesto cuerpo carbonizado de Hitler.

Caja donde fueron introducidos los restos del dictador nazi.

Sergei Mironyenko, director del Archivo Central de Moscú, desveló documentos secretos sobre los últimos días de Hitler y Eva Braun.

10.4. ¿Los hijos de Hitler?

Pero la historia no acaba ahí. Recientemente el director del Archivo Central de la Federación Rusa, Sergei Mironyenko, recibió anónimamente una copia de los 8 volúmenes del *KGB* que describen la operación Mito, en donde se relataba, entre otras cosas, que se había realizado una excavación años después en el búnker ordenada de nuevo por Stalin.

En ella se encontraron trozos de un cráneo que coincidían exactamente con los que faltaban en el cuerpo calcinado, y que además presentaban una herida de bala. Pero lo más impresionante fue saber, que entre las declaraciones realizadas bajo tortura a Linge y dos altos personajes del III Reich, estos afirmaban que en el momento del suicidio, Eva Braun estaba embarazada.

Aunque esta afirmación es muy espectacular, no es nueva, y así, mientras que el general soviético Zhukov que precipitó la caída de Berlín anunciaba el 9 de junio de 1945 por primera vez, que «Hitler y Eva Braun se habían casado poco antes de la derrota de Berlín», dos días más tarde, un despacho cablegráfico procedente de Estocolmo sorprendía a todo el mundo asegurando que «Eva Braun tuvo dos hijos, un niño y una niña, durante su larga aventura amorosa con Hitler». Esta sensacional revelación fue hecha por Erik Wesslen, ex agregado de la embajada sueca en Berlín, quien estuvo en estrecho contacto con el cuartel general de Hitler durante el sitio que precedió la caída de la capital alemana.

Efectivamente, el 4 de mayo de 1945 el mundo conocía la identidad de una joven y anónima alemana de nombre Eva Braun. Mientras el ministro de Propaganda Joseph Goebbels se había encargado de generar el mito del *Führer* casto y célibe poco interesado en las mujeres; Eva, rodeada del más absoluto secreto y siendo férreamente custodiada día y noche por la Gestapo, mantenía una estrecha relación sentimental con Adolf Hitler durante más de diez años.

En un telegrama de la U.P. fechado en Londres el 11 de junio de 1945, Wesslen afirma textualmente: «Se cree que cuando Hitler partió de Berlín, el 8 o 9 de abril, no fue solo para traer a Eva Braun a la capital, sino también para decir adiós a sus hijos, y probablemente ponerlos en un sitio más seguro. Pasó tres días en Baviera en momentos en los que su presencia en Berlín era más necesaria que nunca».

Otro dato misterioso es la detención en Bad-Godesberg del general Nicholaus Von Bellow, uno de los tres firmantes del testamento privado de Hitler. A pesar de ser sometido a un intenso interrogatorio por parte de la policía de seguridad británica, nunca se hizo ningún comentario público sobre ello. Pero un mensaje de la agencia Reuters enviado el 20 de enero de 1946 desde la pequeña localidad de Bad-Godesberg, una semana después de su detención, afirmaba que: «Hitler fue padre la víspera del año nuevo de 1938. Eva Braun le dio un hijo en una maternidad de San Remo, Italia, y no se la vio en sus habituales paseos automovilísticos en Berlín durante un mes o más».

Otro de los datos sobre la posible descendencia de Hitler nos viene del periodista Bernard Lescrinier. Este alemán de origen francés, corresponsal en Berlín de varios diarios británicos y norteamericanos, había asistido a una curiosa reunión convocada en la embajada italiana. Acudieron todos los representantes que los periódicos italianos tenían en ese momento en Berlín. El agregado de prensa les dijo que debía llamarles a todos la atención, debido a los rumores que circulaban por Berlín sobre que Eva Braun había dado a luz un hijo en Italia. El funcionario de la embajada les advirtió: «Bajo ninguna circunstancia deben esos rumores aparecer en los diarios que ustedes representan». Entonces, uno de los corresponsales le preguntó si eran falsas habladurías, con lo que el agregado contestó: «Debe preguntar usted a Hitler».

El mismo Lescrinier contó a uno de los corresponsales que en el año nuevo de 1939 un consejero de la Cancillería alemana fue arrestado por haber gritado en medio de una reunión: «Hoy, el hijo del *Führer* celebró su primer cumpleaños. Brindemos por él».

En un libro publicado dos años después de la guerra titulado «Hitler está vivo», el autor Ladislao Szabo comentó que las autoridades militares americanas entregaron a la prensa varias fotografías halladas entre los efectos personales de Eva Braun en su residencia de Munich. La mayor parte correspondían a Hitler y Braun posando frente a su refugio de montaña en Berthesgaden. Pero en una de las fotos aparece ella sola, con dos criaturas de corta edad, un niño y una niña. Según algunos periodistas las facciones del pequeño que está sentado en su regazo tenían un gran parecido con las del *Führer*.

Asimismo, aunque tres mensajeros portaban sendas copias de los testamentos de Hitler, solo uno de ellos, Wilhelm Zander, llevaba consigo la única copia conocida del acta de casamiento de Hitler. Junto a ella, la inquietante foto de un niño de unos diez años cuyo parecido con el de Hitler era asombroso. El mensajero negó toda información al respecto, alegando que ignoraba en realidad quién era el niño,

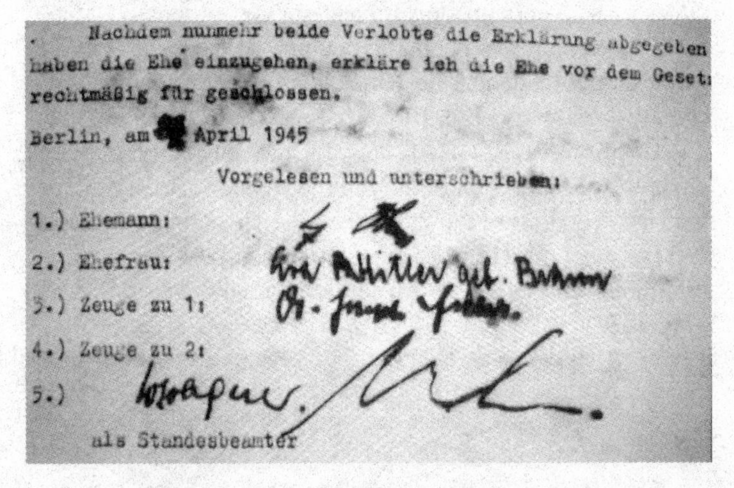

Nachdem nunmehr beide Verlobte die Erklärung abgegeben haben die Ehe einzugehen, erkläre ich die Ehe vor dem Gesetz rechtmäßig für geschlossen.

Berlin, am [illegible] April 1945

Vorgelesen und unterschrieben:

1.) Ehemann:

2.) Ehefrau:

3.) Zeuge zu 1:

4.) Zeuge zu 2:

5.)

als Standesbeamter

Única copia del acta de casamiento de Hitler y Eva Braun.

pero en los círculos militares de los aliados se supuso que Zander —ayudante del misterioso Martin Bormann, el auténtico cerebro de Hitler en la sombra— trataba de entregar el testamento y el certificado de casamiento con la fotografía del muchacho a los padres de Eva Braun.

Un oficial del Tercer Ejército norteamericano llegó a decir que «la semejanza entre Hitler y el niño es llamativa». El pelo del chico es negro como el del *Führer* y su rostro tiene la misma expresión que tenía Hitler cuando era niño. El muchacho tiene un ligero parecido con Eva, pero no tan marcado como el que tiene con Hitler.

Misteriosamente, dicha información fue emitida por la agencia Reuters desde Nuremberg el día de fin de año de 1945, pero nadie ha vuelto a comentarlo desde entonces. Y a pesar de que el jefe del servicio de informaciones del Tercer Ejército norteamericano dijo desde el primer momento que apostaba su reputación militar, al afirmar que los documentos eran auténticos hubo ciertas dudas al respecto y se iniciaron amplias investigaciones para comprobar la veracidad de las mismas. El resultado fue que los servicios de inteligencia jamás volvieron a hablar del asunto y los historiadores oficiales no se han ocupado suficientemente del tema.

Es interesante el hecho de que una de las pistas sobre la supuesta descendencia de Hitler nos lleve a España. Según ese hilo conductor, Eva Braun habría tenido dos hijos nacidos en los años 38 y 41 respetivamente, que serían después cuidados por una importante familia española de origen alemán antes de irse a vivir a Suiza en los años 60. ¿Forma todo ello parte del mito? Posiblemente. Pero en caso de ser cierto, estaríamos ante el mayor misterio histórico del siglo XX.

Capítulo 11

Caso Bormann: el oro del III Reich

Desde hacía un mes, los cuatro periódicos de Berlín y las radios de Hamburgo y Colonia publicaban y repetían sin cesar el siguiente comunicado: «Martin Bormann es acusado de haber cometido crímenes de guerra contra la paz y la humanidad, según consta en el acta de acusación entregada al Tribunal de Nuremberg. El acta puede ser consultada en el Palacio de Justicia de Nuremberg. Si se presenta, Martin Bormann tendrá derecho a defenderse por sí mismo, o de hacerse defender por su letrado. De no comparecer, a partir de noviembre de 1945 el proceso tendrá lugar en rebeldía. Si finalmente es reconocido culpable, se procederá sin más a la ejecución de la sentencia inmediatamente después de su captura, de conformidad con las órdenes de la comisión de control para Alemania. Por orden del Tribunal Militar Internacional, el secretario general, Harold B. Willey».

Bormann era quizá, después de Rudolf Hess, el más importante jerarca nazi que supuestamente quedaba vivo. El que fue considerado por todos como la sombra de Hitler y que había permanecido en el búnker hasta el último minuto, no había dejado ni rastro. Con él habían desaparecido millones de dólares en lingotes de oro y piedras preciosas. ¿Qué había sucedido?

Dos imágenes de Martin Bormann, el hombre más buscado del mundo tras la Segunda Guerra Mundial.

11.1. Bormann, la sombra negra de Hitler

Celoso, riguroso, minucioso, implacablemente enérgico, impregnado del credo nazi hasta la medula, Martin Bormann era el burócrata modelo. Ejemplar en su deliberado anonimato, ajeno a cualquier exhibición externa para concentrarse en el hermetismo de su oficina y ejercer desde esta el poder efectivo que fue amasando con el tiempo. No tenía vicios ni flaquezas, y al igual que Hitler, no fumaba, no bebía, era vegetariano y vestía siempre de uniforme.

La carrera de Bormann en el partido nazi comenzó temprano. En mayo de 1923 los franceses habían detenido y ahorcado a un agitador nacionalista alemán bajo la acusación de sabotaje. Todos culparon del chivatazo a un maestro de escuela llamado Walter Kadow. A finales de ese mes, Bormann no se lo pensó dos veces y se hizo notar. Mató a palos y remató a cuchilladas y pistoletazos al joven profesor. Esto le valió que el partido le homenajeara con una de las máximas condecoraciones nazis, la «Orden de la Sangre» (la *Blutorden*).

Diez años después, con el partido nazi en el poder, Hitler lo nombra secretario personal de Hess, y le encomienda la administración de sus bienes personales. Era el primer paso de este oscuro pero calculador personaje en su ascenso meteórico hacia el poder. Un poder en la sombra.

Tras el vuelo de Hess a Escocia, el papel de Bormann se hace cada vez más importante y determinante, y su influencia sobre Hitler aumenta día a día. La eminencia gris guarecida en la sombra como lo define el mayordomo de Hitler, llega a adoptar el excéntrico horario del dictador nazi, levantándose cerca del mediodía y acostándose a las cinco de la mañana. Todo con tal de estar permanentemente al lado de su amo.

Fuera del círculo de los íntimos del *Führer* nadie se da cuenta del aumento de su influencia y poder personal, porque él prefiere desaparecer detrás del jefe y, al mismo tiempo, rodearlo de una muralla impenetrable que le permita urdir tranquilamente cualquier intriga contra los generales, políticos e incluso los más viejos y fieles amigos de Hitler. Es él, días antes de que Hitler se suicide, el que hace detener a Goering y el que destituye a Himmler de su cargo.

«Sé que Bormann es brutal... pero puedo fiarme de él. Sean cuales fueren los obstáculos, mis órdenes siempre son ejecutadas inmediatamente» dice Hitler. Uno de los jerarcas nazis lo define de la siguiente manera: «Con esos ojos malvados, el rostro colorado y vulgar, la espalda cargada, el cuello de toro y el pelo ralo, Martin Bormann, inspira tan solo antipatía. No es un orador. Habla muy poco y mal, recurriendo con frecuencia a vulgaridades. En público se limita a pronunciar escasas palabras aliñadas con su dicho favorito: "El *Führer* es el *Führer*"».

Omnipresente, silencioso, capaz de permanecer en la sombra y de no hacerse notar, desde su despacho Martin Bormann empieza a tomar decisiones en todos los ámbitos. Algunas de ellas desgraciadamente históricas, como codificar legalmente la solución final y el exterminio de los judíos, otras sin relevancia alguna, como adquirir la casa natal de Hitler en el pueblecillo austriaco de Braunau o hacer construir el famoso Nido de Águilas, el refugio de montaña en el Oberslzberg.

Bormann divide los hombres del círculo íntimo del *Führer* en dos categorías: aquellos a los que puede someter, y aquellos a los que debe mantener a distancia. Así, con un meticuloso plan, todos las personalidades que rodean a Hitler van siendo sustituidas poco a poco por amigos suyos. Al final incluso el ministro de Propaganda Goebbels, debe soportar continuamente la humillación de pedir audiencia al *Führer* a través de Bormann.

En julio de 1943 llega a la cúspide del poder, siendo nombrado secretario personal del dictador. Es en esa época cuando se hace con todos los mecanismos ocultos de financiación del III Reich y con sus entramados económicos internacionales. Todo en el más absoluto secreto. En realidad, ya entonces el cerebro gris del III Reich estaba preparando no solo su huida, sino también toda un red mundial de apoyo que como veremos, intentará ser la precursora de un hipotético IV Reich después de la guerra, al mando del cual debería estar él.

11.2. Misteriosa fuga del búnker

Y así llegamos a la enigmática noche del 1 de mayo de 1945. Muertos Hitler y Eva Braun, Bormann se fuga del búnker de la Cancillería en una aventura que no parece aún haber concluido. Fiel a su fama, se envuelve en las brumas de la nada y con él desaparece la gigantesca fortuna del III Reich.

Durante los descansos que se daban en los Juicios de Nuremberg, los periodistas pudieron recoger comentarios que se hacían entre sí los jerarcas nazis: «El doctor Goebbels tenía un terrorífico pánico a Bormann» decía uno, mientras otro le contestaba: «¡Bormann era tan solo un mangante!», en ese momento el llamado mago de las finanzas nazis, el banquero Hjalmar Schacht, se quejaba de que «Bormann estuvo siempre perfectamente informado de las cuestiones más delicadas de las que ni siquiera yo estaba al corriente». Opiniones para todos los gustos, pero lo cierto es que cuando el tribunal hablaba de Bormann, se hacía un silencio sepulcral en la sala. Todos los acusados y cabecillas del régimen nazi se adelantaban sobre sus asientos y mostraban grandes señales de atención e interés. No se salva nadie, desde Goering a Hess, pasando por Ribbentrop o Speer, todos habían temido a ese hombre servil, de celo excepcional y con un destacado gusto por la intriga.

¿Logró fugarse con vida del búnker? Durante sesenta años han circulado los más variados rumores y fantásticas leyendas. Al poco de finalizar la guerra, en Roma, se publicó la noticia de que Bormann estaba escondido en el convento de San Antonio con el nombre de fray Marin y hasta apareció su fotografía. Como veremos, efectivamente en su fuga pudo haberse codeado con lo más granado del Vaticano, sin embargo, el citado franciscano era en realidad Romualdo Antonuzzi, que tenía un parecido increíble con Bormann.

Durante el proceso en Israel de Adolf Eichmann, este siempre aseguró que Bormann «vivía en algún sitio de Sudamérica». La opinión de este personaje es importante si tenemos en cuenta que fue el responsable último de los campos de concentración y del exterminio de los judíos, y sin embargo, había logrado fugarse a Sudamérica con éxito tras la guerra. Finalmente Eichmann fue secuestrado en Argentina por un comando operativo del *Mossad* y ahorcado en Israel. ¿Podría pues encontrarse también al escurridizo ex secretario de Hitler?

Los rumores siguieron propagándose. «Estoy convencido de que Martin se salvó, y que ahora se encuentra prisionero de los rusos», afirmaba su hermano Albert. Un testimonio desconcertante fue el de un ex detenido del campo de concentración de Schassenhausen, el escritor alemán Heinrich Lineau, que sostuvo que había encontrado a Bormann en julio de 1945 en los alrededores de Brema, curiosamente en el mismo lugar donde Himmler se suicidó con una cápsula de cianuro al ser descubierto entre la multitud. Según el escritor, Bormann vestía de cazador y había subido a un tren de mercancías que se dirigía a Flensburgo, la famosa base central de los submarinos nazis.

Otras personas lo situaban en Chile, tal y como afirmaba en 1950 el ex diputado de *Reichstag* Paul Hesslein, que exiliado en Santiago de Chile decía «haber cenado con él en dos ocasiones». En 1961 el periódico chileno *El Estanciero* publicaba a toda portada que «Bormann, con el nombre de Juan Keller, estaba escondido en una base costera de la Antártida» y simultáneamente el embajador argentino en Israel añadía que «el ex secretario de Hitler se había hecho cambiar los rasgos por medio de una operación facial». En realidad era como buscar una aguja en un pajar.

Después de los Juicios de Nuremberg y de ser juzgado en rebeldía, el entonces hombre más buscado del mundo era condenado a la horca. Sin embargo, y en base a los testimonios de los compañeros de fuga que fueron interrogados en el transcurso del proceso, quedó prácticamente establecida la hipótesis oficial sobre la suerte corrida por Martin Bormann.

El misterio que rodea su fuga comienza la noche del 2 de mayo de 1945 cuando Bormann, nombrado por Hitler en su testamento Ministro del Partido y ejecutor de las últimas voluntades del *Führer* telegrafía a Doenitz, que en ese momento se halla en el centro naval de submarinos de Flensburgo, y le dice: «Iré a verle cuanto antes».

Minutos después, con los rusos a escasos trescientos metros, abandona el búnker de la Cancillería. Con él se encuentran, entre otros, Arthur Axman —jefe de las Juventudes Hitlerianas—, el Secretario de Estado, Naumann, el chófer de Hitler, Kempka, y el médico de las SS, Stumpfegger. Su meta es alcanzar el cercano río Spree. Cuentan con cruzarlo a través de un puente cercano, donde una unidad de carros blindados alemanes intenta hacer cuña en las líneas soviéticas. El combate es calle a calle. La única luz de que disponen es la de las llamas y los fogonazos continuos de las baterías rusas.

El chófer de Hitler dijo en el juicio de Nuremberg: «Llegamos al puente y seguimos las huellas de los *Panzer*. Bormann caminaba detrás del carro blindado que iba en cabeza. Aquel carro fue alcanzado me parece que por un lanzacohetes que estaba en una ventana. Iba cargado de municiones y voló por el aire. En el lugar donde andaba Bormann se levantó una llamarada. Fui arrojado al suelo por la explosión y perdí el conocimiento. Cuando mucho más tarde volví en mí, ya no quedaba nadie». Entonces el abogado defensor de Bormann le pregunta al ex chófer: «¿El estallido pudo matar a

Bormann?». La respuesta es terminante: «Seguro. Así lo creo firmemente».

Axmann, otro de los compañeros de fuga, aun manteniendo también que Bormann debía estar muerto, niega que el fallecimiento fuera en aquel instante. Entrevistado por la revista alemana *Stern*, dijo: «El desplazamiento de aire provocado por la explosión del carro blindado en el puente Wiedendammer nos lanzó a todos muy lejos. Yo me arroje instintivamente en un hoyo donde encontré, ilesos, a algunos de nosotros, Bormann, Stumpfegger, Naumann, mi ayudante Weitzlin.

Nos consultamos acerca de cómo podríamos salir de Berlín. Evidentemente en ese puente ya no podíamos hacer nada. La incursión de los carros alemanes había sido rechazada. Era mejor buscar en otra parte». El grupo de jerarcas nazis se quitó los galones y las insignias. Después retrocedió, llegó a la estación Friedrichstrasse, trepó al terraplén del ferrocarril y cruzó el río Spree por el puente de la vía. Pero al otro lado del río fueron a parar frente a una avanzadilla rusa. Los soldados soviéticos, confundiendo a los jefes nazis con simples soldados del *Volkssturm* (voluntarios y reservistas ancianos), pidieron ingenuamente cigarrillos y se pusieron a conversar con gestos y medias palabras en mal alemán.

Instantes después, Bormann y Stumpfegger volvieron la espalda y se alejaron casi a la carrera. Los rusos, alarmados, corrieron en su busca. Fue entonces cuando el Secretario de Estado Naumann y los demás del grupo desaparecieron en la oscuridad, más allá de los setos de la carretera. En la confusión que siguió, Axmann y su ayudante Weitzlin retrocedieron ganando de nuevo el cerco de Berlín y volvieron al búnker que estaba prácticamente invadido ya.

Pero al recorrer la avenida, al otro lado del puente sobre el río Spree, donde se extendía un frondoso bosque de encinas que descendía hacia el río, descubrieron dos cadáveres en el suelo a ambos lados de la calle. «Eran Bormann y Stumpfegger. Yacían de espaldas con los brazos y piernas poco separados. Cogí a Martin Bormann y lo zarandeé, pero no tuvo ninguna reacción. Me incliné sobre él. No respiraba. No se notaba ninguna herida ni ningún rastro de sangre. Quizás se habían envenenado. En aquel momento la fusilería rusa intensificó el fuego y mi ayudante y yo tuvimos que salir corriendo».

Hasta ahí el relato contradictorio que los compinches de fuga de Bormann hacen de lo ocurrido, la noche en que desapareció de la historia conocida. Debido a sus declaraciones se dio oficialmente por muerto al secretario de Hitler. Sin embargo, voces tan autorizadas como la del «cazanazis» Simón Wiesenthal opinan lo contrario: «No tenemos ninguna duda de que Bormann vive. Todo lo publicado hace poco por la revista *Stern* a propósito de su muerte es falso. Se trata de una tentativa de desorientación como tantas hubo en el pasado. He logrado seguir el rastro de Bormann hasta hace un año y he tenido a mi disposición pruebas concluyentes acerca de su identidad. Se encuentra en América del Sur y se traslada continuamente de un país a otro».

Desde luego la versión oficial deja numerosos interrogantes. ¿Por qué no había heridas en los cadáveres? Si habían ingerido una cápsula de cianuro, ¿es lógico suponer que dos hombres en esas circunstancias piensen en el suicidio mientras no se vean hechos prisioneros y reconocidos? De Bormann sin ir más lejos existían pocas fotografías. Él mismo había encargado que se retiraran de la circulación, y sus apariciones en los documentos gráficos o las películas de la época eran rarísimas. En cuanto al médico de las SS, solo era conocido en el restringido círculo de Hitler.

Así pues, la única confirmación positiva podría venir del hallazgo de un trozo de uniforme, una prótesis (aunque Bormann jamás había recurrido al dentista) o cualquier resto humano. Desde entonces se han efectuado numerosas excavaciones en los calveros que hace sesenta años descendían suavemente hacia el río Spree, donde se les vio por última vez. Pero el lugar ha guardado su secreto. Al menos hasta mayo de 1972. En esa primavera vuelven a efectuarse nuevas excavaciones en la zona de la cercana estación de tren Lehrter, encontrándose dos cráneos. Uno de ellos es reconocido oficialmente como el de Martin Bormann.

Supuesto cráneo de Martin Bormann encontrado en la estación de tren Lethner.

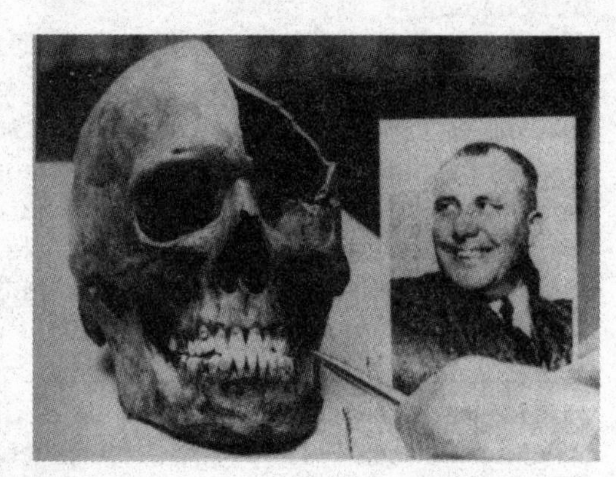

11.3. Las finanzas del IV Reich

Todo parecía resuelto, pero hay una serie de circunstancias que parecen hacer revivir al enigmático y poderoso personaje. Es de sobra conocido que desde la finalización de la guerra hay motivos más que suficientes para creer que durante el siglo XX funcionó un basto movimiento subterráneo nazi. Esa red internacional denominada ODESSA o "La araña", abarcaba prácticamente todo el continente europeo y sudamericano. Los miembros de esa enorme organización se dedicaban no solamente a la propaganda hitleriana, sino que proporcionaban documentos falsos y pasajes a los ex jefes nazis y prófugos. Siempre se afirmó por diversos investigadores, que el escurridizo Martin Bormann era el cerebro de toda esa gigantesca organización.

Curiosamente el 1 de septiembre de 1945 en dos extrañas alocuciones por radio, muchas personas que lo conocieron aseguraron haber oído la voz de Bormann. El mensaje por radio venía a decir que «Hitler estaba vivo, y que se hallaba en territorio alemán, gozando de una salud excelente» —telegrama de Reuters procedente de Londres el 1/9/1945—. Esto causó una gran consternación en Nuremberg. Pero lo más intrigante sucedió cuando se acercó la fecha del fallo del proceso de Nuremberg contra Bormann. Primero fue la desaparición de Gerda, una de las ex secretarias privadas de Hitler cuyos testimonios se consideraban muy valiosos por haber permanecido hasta el final en el búnker. Nadie sabe cómo fue posible que se burlara la vigilancia para hacerla desaparecer sin dejar rastro. No menos misteriosa y escandalosa fue la desaparición del abogado defensor de Bormann en el proceso, el doctor Bergold.

Con el tiempo se ha llegado a demostrar el apoyo que prestaron grandes sectores del capital internacional a Hitler a principios de los años treinta. Sin ese apoyo jamás se hubiera podido hacer con el poder en Alemania. Algo parecido intentó conseguir Martin Bormann una vez comprendió que el III Reich caminaba hacia la derrota. Al mismo tiempo que Hitler se quejaba del revés de sus ejércitos en las blancas estepas rusas, Bormann consolidaba las millonarias finanzas de lo que debería ser el IV Reich.

Sirviéndose de la astucia y de la seguridad en sus planes, convenció a industriales alemanes, como lo había hecho antes de la guerra, de que debían ocultar sus riquezas en lugares más seguros que Suiza o cualquier otro país neutral. Lo importante era convertir todos los valores en oro, joyas, y riquezas que no se devaluaran. Expuso la operación con tal claridad que nadie supo decirle que no, además, les ofrecía salvar la vida en el momento en que los aliados ocupasen Alemania. Se iban a buscar los rincones más seguros de la tierra, donde los ricos partidarios del nacionalsocialismo podrían vivir seguros, disfrutando de sus fortunas.

En 1946 los aliados descubrieron que habían desaparecido de los bancos alemanes ochocientos millones de dólares, cantidad que tendríamos que multiplicar por cien o más para hacernos una idea de lo que significaría actualmente. A pesar de las ingentes sumas de dinero gastadas en armamento por el III Reich, se había podido comprobar que todas las riquezas obtenidas en los países ocupados convirtieron la guerra en una especie de inversión, al menos para los grandes industriales.

En 1973, según todos los indicios, el viejo nazi Martin Bormann había conseguido convertir la riqueza de sus "socios" en cien toneladas de oro y otros metales preciosos, que se hallaban ocultas en lugares bien seguros. Entonces se calculaba que las existencias totales de oro en el mundo eran de 75.000 toneladas. Si eso era así, los nuevos nazis disponían de un respetable tesoro.

Se ha podido saber que Bormann, junto a un hábil grupo de economistas, supo invertir el dinero que se le había confiado en los países árabes, fundamentalmente en Egipto. La Secretaría del Tesoro norteamericana debió reconocer que existían más de un millar de empresas en el mundo cuyos directivos eran testaferros de una sola persona que actuaba en la sombra. Setecientas de estas empresas proporcionaban beneficios a Bormann directamente: 35 en Turquía, 98 en Argentina, 214 en Suiza, y 200 en España.

La organización ODESSA operaba fundamentalmente en Chile y Argentina.

Uno de los agentes más eficaces de Bormann en España fue Otto Skorzeny. Sin duda uno de los "ministros del IV Reich". Este disponía de varios domicilios en diferentes ciudades españolas, y jamás tuvo que esconderse. No era el único que vivía en nuestro país. Según un memorándum militar de la inteligencia estadounidense fechado el 15 de febrero de 1947, se especifica que todas esas personas huidas de la justicia formaban un grupo muy organizado en España denominado "La legión Alemana", y que se nutrían en su mayor parte del dinero generado por el llamado "Gabinete Negro" que en abril del 45 comenzó a traer dinero de las arcas alemanas a España, lo cual serviría años después para financiar los movimientos neonazis y revisionistas en este país.

Toda la operación de huida y tránsito de antiguos jerarcas nazis hacia Oriente Próximo y América Latina era apoyada por el Vaticano que, a través de veintidós comités, expedía pasaportes de la Cruz Roja para todos ellos. La coordinación se llevaba desde el Sur y concretamente en Denia (Alicante), donde se encontraba la base de la Gestapo para el Mediterráneo, y desde donde pasaban los barcos que, procedentes de Génova, cruzaban luego el Atlántico hasta la costa argentina o chilena. Las cabezas visibles de dicha organización eran G. Bremer y J. Bernhardt, este último pieza clave en la Guerra Civil española, ya que ayudó a Franco en su levantamiento aportándole gran parte de la aviación alemana.

A partir del establecimiento en diversos países de los nazis huidos, se formó una ordenada infraestructura para hacer renacer el ideal nacionalsocialista y con ello crear un nuevo IV Reich en todo el mundo. Las maquinaciones secretas de "La araña" incluían todo tipo de operaciones propagandísticas, formación de grupos secretos que cambiaban de nombre con el tiempo, etc. Y ese hilo podía ser seguido hasta nuestros días, concretamente en España, además de asociaciones como CEDADE —actualmente desaparecida—. Pudimos comprobar la existencia de otras como "Nueva Suevia" (después *Magna Valentia*) con centro en Galicia y cuyo dirigente —de alto nivel intelectual— motivaba a jóvenes deseosos de conocer la historia del nazismo, y sobre todo su vertiente esotérica. Para ello disponían de una editorial propia que se encargaba de distribuir libros sobre el tema.

Una de las revelaciones que el oficial de las SS refugiado en España, A. Haberstroh, nos pudo confiar cuando nos entrevistamos con él en 1998 era bastante inquietante. Decía haber sido testigo de cómo por su convento pasaron "compañeros" de guerra, e incluso cómo una ex oficial de las SS (vestida de monja) se dirigía a San Sebastián de Garabandal, pues aseguraba que en las concentraciones marianas se reunían agrupaciones de ex combatientes y dirigentes de la «Legión alemana». No nos sorprendía esa revelación pues en la Semana Santa de abril de 1995 pudimos comprobar personalmente cómo se reunían algunos grupos de tendencia ultraderechista provenientes de diversas partes del mundo, en la mayor reunión mariana que se ha dado en Garabandal.

Todavía más, los fondos económicos de las organizaciones marianas, en general, tienen procedencias muy variadas, siendo las asociaciones ultraconservadoras o nazis las que mayor dinero aportan a la causa. En el caso concreto de Garabandal con sede en los USA, se calculan sus ganancias en más de 20 millones de euros.

Pero entonces, si todo ello es cierto, y Bormann logró fugarse, ¿cómo lo hizo? Hace unos años el investigador independiente Ladislas Farago, consiguió apoderarse de unos documentos del antiguo Servicio de Inteligencia Argentino inéditos hasta entonces. Esos escritos, al igual que los de otras agencias de seguridad, parecían demostrar que Bormann no solamente estaba vivo sino que había dejado un "rastro" bien definido en su huida. A pesar de que algunos investigadores tachan de intoxicación la aparición de esos documentos, otros parecen corroborar con datos y testimonios la rocambolesca historia de la fuga final del número dos de Adolf Hitler. Veamos cómo se produjo.

El 28 de marzo de 1945 varios *U-Boots* (submarinos alemanes) de la armada nazi del almirante Doenitz, llegan a las solitarias costas de San Clemente del Tuyu (sur de la costa argentina). Es de noche, y varios camiones esperan impacientes para trasvasar la "pesada carga" que deberán transportar por tierra. En el interior de los submarinos, se encuentra —según consta literalmente en el documento— un "tesoro que ayudara a reconstruir el imperio nazi en el mundo". Tres semanas más tarde, y a nombre de María Eva Duarte, esposa del presidente argentino Perón, se realizan varios depósitos de grandes sumas de dinero en el Banco Trasatlántico Alemán, Banco Germánico y el Banco Tornquist.

Un año más tarde, y siempre según los documentos, Bormann logra llegar a Bolzano (Italia) donde pasa su primer año de exilio. El tres de junio logra mantener una reunión histórica en Roma. Tras ella, y apoyado por el Secretario de Estado Vaticano, monseñor Montini (que más tarde sería el Papa Pablo VI) se logran unos acuerdos tácitos con ciertos bancos asociados a la curia Romana. Así pues, le ayudan en su fuga prestándole los servicios de un especialista que prepara para Bormann más de siete identidades y pasaportes falsos para su uso en países sudamericanos.

En 1947 se instala en Génova y pasa seis meses prácticamente recluido. Entonces los acontecimientos se precipitan. Eva Duarte decide hacer un viaje relámpago para reunirse con Bormann en Italia. A esa reunión asistirá también el obispo de Génova, y los generales italianos Graziani y Cassiano, en donde se decide su fuga a Argentina. Aguanta unos meses más en Italia y por fin, en 1948, embarca en el puerto de Génova en el *Giovanna* con otros fugitivos nazis.

En todo momento Bormann ha usado las conocidas "líneas de ratas", o sea, las rutas de fuga que los judíos usaron en Europa con los nazis. De hecho, en muchas ocasiones al acabar la guerra, se daba la paradójica circunstancia de que en un mismo barco hacia Sudamérica viajaban nazis y judíos con el mismo objetivo: sobrevivir.

El *Giovanna* encara su destino final horas después. Se trata de la localidad de Denia. Bormann está impaciente por hacer uso de su nueva identidad. Según pone su pasaporte, se llama Elezier Goldstein, un judío de nacionalidad polaca. Además está incomodo, ya que la ropa de monje que le han prestado no es de su talla. Una vez en el puerto pasa el control sin problemas. En realidad nadie le ha preguntado.

Con tranquilidad, llega a Alicante y toma un transporte hacia la capital de España. Allí, marcando un número previamente acordado, toma contacto con Ángel Alcázar de Velasco. Este espía nazi que trabaja para Franco desde hace años estaba esperándole hacía días. De Velasco lo escoltará personalmente hasta Vigo sin problemas. Ningún miembro del régimen franquista o de la Guardia Civil española, se atrevería a ponerle en algún aprieto.

Una vez en Vigo es atendido por un peluquero (con el que pudimos charlar personalmente y que también hacía trabajos para el régimen) que lo adecenta un poco. A partir de ahí lo increíble. En compañía del espía nazi en la costa gallega, Von Eischen, que seguía trabajando en tareas de espionaje y cobertura como si la guerra aún no hubiera acabado y a veces también para el servicio secreto norteamericano, embarca en un submarino sin distintivos y de nacionalidad desconocida rumbo a San Clemente del Tuyu en la costa Argentina, donde ya anteriormente habían desembarcado otros camaradas.

A las pocas semanas de la llegada de Bormann a Argentina, donde le tratan mejor que si estuviera en su casa, Perón le cede la cuarta parte del tesoro nazi llegado a bordo de los submarinos alemanes. Además le transfieren desde Alemania una parte importante del tesoro que componían las reservas del Deustche Bank. Curiosamente, su último poseedor, un tal L. Freude, muere envenenado poco después. Es justo en ese momento cuando Bormann se siente casi a salvo y con los recursos económicos, materiales y el apoyo político suficiente como para campar a sus anchas por toda Sudamérica.

Comienza a moverse de país en país. En 1951 viaja a la jungla de Paraguay donde pasa bastante tiempo en compañía de Josef Menguele. El tenebroso "ángel de la muerte", doctor del campo de concentración de Auschwitz, tiene una especie de hacienda enorme en una inhóspita zona de la selva denominada "distrito-X". Allí Bormann acuerda hacer negocios con él para llevarse pingües beneficios a través del contrabando que Menguele controla, desde Sao Paulo hasta Asunción, protegido por un famoso militar sudamericano (el coronel Argana).

Bormann poco a poco empieza a bajar la guardia, se siente protegido en el inmenso continente sudamericano y además cree estar escoltado, al verse rodeado de multitud de camaradas y simpatizantes que lo apoyan. Por ello, decide fijar una residencia con toda su familia en Brasil. Concretamente lo hará entre las zonas amazónicas del Mato-Grosso y Santa Catalina.

Pasan los años y Bormann visita asiduamente la ciudad de Bariloche y alrededores. Es lógico. Allí se encuentra el centro mundial de "La araña" (ODESSA), desde donde se pretende resucitar el ideal nacionalsocialista. A principios de la década de los sesenta ocurre lo inesperado. Comienzan a penetrar masivamente comandos israelíes en busca de criminales de guerra. A pesar de que se extienden por todo el continente americano, fundamentalmente se centran en Argentina y Paraguay. Ello hace que Bormann comience de nuevo una vida de nómada donde la supervivencia es lo primero. Según se comentaba, nunca dormía dos veces en el mismo sitio.

Viéndose mayor (más de sesenta años) y desgastado por el tipo de vida que llevaba, Bormann intenta de nuevo asentarse en Curitiba (Brasil) bajo una nueva identidad falsa. Esta vez se hará llamar Richard Bauer —un italiano que ya no ejerce como profesor de filosofía—. A partir de esa fecha se pierde su rastro hasta diez años más tarde.

En 1972 regresa a Argentina y aparece en la clínica Ciancaglini aquejado de fuertes dolores. Allí lo tratan y le efectúan

COPIA F.E.

Central de Inteligencia
MARTIN BORMANN

En marcos oro	187.692.400,-
En dólares	17.576.386,-
En libros esterlinas	4.632.500,-
En francos suizos	24.976.442,-
En florines holandeses	8.379.030,-
En francos belgas	17.280.009,-
En francos franceses	54.968.000,-
En platino Kg.	87,-
En oro Kg.	2.511,-
En Diamantes y Brillantes Kilates	4.638,-

Rdo. Padre EGIDIO ESPARZA
JEFE ACCIDENTAL A.I.C.A.

Documento del Servicio de Inteligencia Argentino, donde se pueden comprobar las transacciones financieras de Martin Bormann en Argentina.

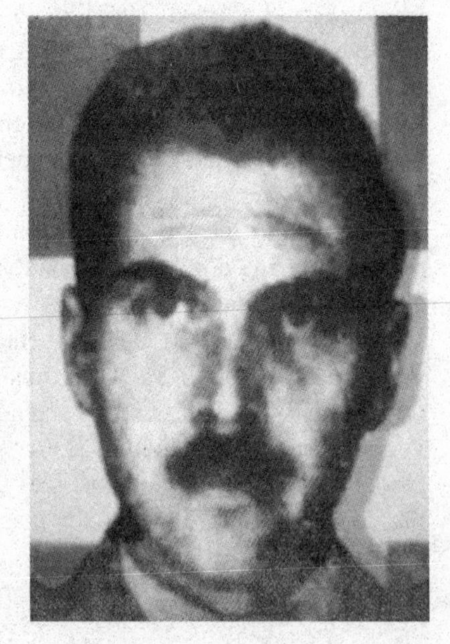

«El ángel de la muerte», Josef Menguele, culpable de cientos de muertes en los campos de concentración y que vivió hasta sus últimos días en Paraguay.

un rápido chequeo. Sin embargo, y a pesar de su avanzada edad, es reconocido por el director de la clínica. Bormann deberá cambiar de identidad de nuevo, pero su mala salud hace que se resienta, muriendo de cáncer en la ciudad de San Martín (provincia de Buenos Aires).

Hasta ahí la increíble biografía no oficial y nunca corroborada del número dos del III Reich. Ninguna lápida o marca señala su tumba. Sin embargo su epitafio fue grabado oficialmente muchos años antes en Berlín. Allí, desde julio de 1954 en el registro municipal (acta AZ-1/1483) consta lo siguiente: Martin Bormann, nacido el 17 de junio de 1900 en Harlberstadt, fallecido en Berlín el 2 de mayo de 1945 a las doce de la noche.

Capítulo 12

Rumbo al oasis antártico

Si eliminamos lo imposible,
seguramente en lo que queda hallaremos la solución.
SHERLOCK HOLMES

«La flota submarina alemana se siente orgullosa de haber construido un paraíso terrenal, una fortaleza inexpugnable para el *Führer* en alguna parte del mundo». Este enigmático mensaje emitido por el almirante y jefe de las fuerzas navales Karl Doenitz en diciembre de 1943, pasó casi desapercibido para el bando aliado que entonces se afanaba en librar una batalla a muerte contra el enemigo nazi. Sin embargo, unos años después, ese mensaje fue cobrando importancia debido a unos sucesos aún no aclarados totalmente hoy en día y que siguen dando que hablar.

¿En qué lugar del mundo se había construido esa base subterránea?, y lo más importante ¿La habían usado para fugarse algunos de los nazis implicados en su construcción? Una de las posibles respuestas comenzó a fraguarse la cálida mañana del 10 de julio de 1945.

12.1. Se rinde el último *U-boot*

Aquel amanecer prometía ser como cualquier otro en el tranquilo puerto de Mar de Plata en la costa argentina. Lejos quedaba ya la guerra y la rendición de Alemania, que se había producido hacía tres largos meses. Al despuntar el alba varias embarcaciones se hicieron a la mar para faenar. En eso andaban varios pescadores cuando atónitos observaron algo increíble. Entre las brumas se adivinaba la silueta de un submarino. Navegaba lentamente, como si tuviera problemas en las máquinas. Pero la sorpresa residía en la bandera que ondeaba. No cabía duda, era la bandera nazi. Los marineros no daban crédito a lo que estaban viendo. Sin embargo las enormes dimensiones y las características del sumergible eran las de un *U-Boot*, un submarino de guerra nazi.

Los marineros pusieron rumbo de nuevo al puerto para dar cuenta a las autoridades. Mientras eso sucedía advirtieron que el submarino encaraba el mismo rumbo que ellos. Parecía seguirles. Efectivamente, minutos más tarde, el submari-

*El primer submarino nazi (*U-Boot*) que llegó a las costas argentinas, meses después de la guerra, fue el* U530.

no enfilaba ya su proa hacia el puerto pasando la escollera sin que su presencia fuera en principio advertida por los trabajadores del muelle. Luego detuvo sus motores y desde cubierta comenzó a emitir señales luminosas con un claro mensaje a los responsables marítimos: ¡Formamos parte de la derrotada escuadra del III Reich. Nos rendimos a las autoridades! Era asombroso. Aquel sumergible, alejado completamente de su país de origen, había recalado casi en el fin del mundo. ¿De dónde demonios salía? y, sobre todo, ¿qué había hecho en todos esos meses? ¿Acaso siguió combatiendo en solitario?

Se botaron rápidamente dos lanchas del guardacostas Belgrano que se aproximaron rápidamente hasta la borda del submarino para recoger a los alemanes. Una vez en cubierta, estos presentaban un aspecto lamentable. Estaban extremadamente cansados, tenían largos cabellos y barba. El comandante, que se identificó como el capitán de navío Otto Wermoutt, fue el último en abandonar la nave. Entregó a los militares argentinos una pequeña maleta que contenía la bandera del submarino (el *U-530*) y los documentos esenciales.

U-Boot 997 *atracado en Mar del Plata.*

En realidad la llegada de los tripulantes y la inspección del interior del submarino no hizo más que acrecentar el misterio. El capitán era un joven de 25 años y su segundo de a bordo de tan solo 22, algo completamente inusual, pero lo sorprendente es que tanto los oficiales como los marinos eran sin excepción sorprendentemente jóvenes.

Un par de militares argentinos se interno en el submarino nazi. Lo primero que les llamo la atención fue la gran cantidad de víveres que aun quedaban pese al largo viaje efectuado. En comparación, la escasa cantidad de combustible hallada, y el hecho de que se hubieran rendido con el submarino parcialmente desmantelado (el cañón de proa y las dos ametralladoras antiaéreas de gran calibre fueron arrojadas al agua en el trayecto) aumentaron las incógnitas sobre el destino final del submarino.

Además solo había una cantidad insignificante de torpedos. Probablemente para dejar lugar a los víveres y sobre todo, al material que más abundaba en el interior de la nave. Nos referimos a una cantidad inmensa de cigarrillos encontrada en unos compartimentos de la misma. Los técnicos navales se mostraron enormemente sorprendidos al encontrarse con 540 grandes latas de cigarrillos en el submarino. Esto, que puede parecer trivial, no lo es tanto, sobre todo si tenemos en cuenta que en el interior de un sumergible no se fuma. De hecho, ninguno de los tripulantes del *U-530* fumaba, tal y como se comprobó mientras estaban en tierra.

A los pocos días, tras la llegada de agregados navales ingleses y norteamericanos, se supo que el *U-530* había salido de Alemania el 19 de febrero de 1945. Zarpó rumbo al norte y recaló en Noruega, donde permaneció unos días, tras los cuales, prosiguió su ruta el 13 de marzo hacia el Atlántico Norte. Cuando en mayo se conoció la orden del almirante Doenitz de rendirse, el comandante Wermoutt, que no llevaba la radio operativa, siguió sin inmutarse la ruta prefijada hacia el sur. Más tarde se entregaría en Mar del Plata. Así pues, ¡el *U-530* había estado navegando sin escalas en altamar por espacio de cuatro meses y medio!

Ello era posible ya que ese tipo de modernos submarinos estaban dotados de elementos novedosos que les capacitaban para operar lejos de sus bases durante meses enteros y poseían además los novísimos *Schnorkel* inventados por los científicos nazis. Ese sistema de respiración, que después de la guerra copiaron todos los submarinos del mundo, permitía a la nave permanecer sumergida bajo el agua a lo largo de setenta días seguidos.

Otro dato clave en este misterio es el número de tripulantes. El *U-530* era un submarino cuya dotación limite no podía exceder de veintisiete personas. Normalmente no llevaban más que dieciocho hombres a bordo. Sin embargo, el número de tripulantes que llego a puerto era de cincuenta y cuatro. El triple de su capacidad normal. ¿Por qué?

En los días siguientes nadie pudo contestar satisfactoriamente a las múltiples interrogantes que planteaba la misteriosa nave. El *U-530* era un submarino extraordinario. Tenía muchos hombres, muchos víveres, una cantidad increíble de cigarrillos (que nadie fumaba) y pocas municiones. Desoyó las órdenes de capitulación, y se negó a rendirse. Aun así siempre eludió el combate en alta mar, y realizó una azarosa travesía de punta a punta del planeta, que les podría haber costado la vida.

Sin embargo, había más. El 19 de julio el almirante Eberhard Godt aseguró que el *U-530* partió de la base de Kiel casi un mes más tarde de lo que aseguraba el capitán Otto Wermoutt. Es más, Kurt Langer, que decía ser el auténtico jefe del *U-530*, manifestó que ese submarino «hacia agua por las junturas» y que «era un submarino muy deteriorado», porque él mismo iba a bordo cuando en la navidad de 1943 un buque de guerra americano lo ataco frente a las costas del Canal de Panamá. Desde entonces, a ese sumergible se le considera muy inseguro. Hasta tal punto que estaba actualmente atracado en la base alemana de Flensburgo. En resumidas cuentas, existían dos *U-530*. Estaba claro que el submarino que se entrego en Mar del Plata no era el *U-530*, más bien era su doble. Una nave sin identificación. El misterio aumentaba.

Una vez conocidos todos esos datos, se dio orden inmediata de trasladar a la oficialidad del submarino a la base de Martín García, donde quedaron detenidos a la espera de la llegada de «expertos» norteamericanos. No se les permitía ningún tipo de comunicación con el exterior, y fueron sometidos a nuevos e intensos interrogatorios, sin resultado alguno. Los marinos alemanes seguían repitiendo una y otra vez la misma monótona historia, como si de una lección bien aprendida se tratara. Una de las cosas más difíciles de creer en sus declaraciones era que nadie sabía cual era el destino final del submarino ¿Era posible? Como veremos más adelante, quizás decían la verdad.

El almirantazgo ingles debió de sospechar algo raro, ya que al día siguiente emitió un comunicado revelador: «No podemos calcular oficialmente el número real de submarinos alemanes que faltan». Lo cierto es que cuatro meses antes, cuando Doenitz dio por radio un mensaje en el que se ordenaba a todos los submarinos alemanes que regresaran a sus bases enarbolando un pendón negro y navegando en superficie, la mayor parte de ellos acataron las órdenes. Otros se entregaron a unidades navales inglesas y norteamericanas. Sin embargo, un buen número de submarinos nazis habían tenido un fin silencioso e ignorado a raíz de choques con minas, tifones, galernas y otros peligros del mar.

Casi sin demora, el 24 de julio Washington envió dos aviones de transporte para llevar la tripulación hasta los Estados Unidos bajo una fuerte custodia militar. Además, un capitán de la armada americana se hizo cargo del submarino. Tenía órdenes de llevarlo a un puerto seguro de la costa oeste. Prácticamente no dieron explicaciones del interés americano en todo el asunto y de hecho, jamás se ha sabido nada más de los tripulantes ni de los interrogatorios a que fueron sometidos.

Las sorpresas no acabarían ahí. Algo más extraordinario aun iba a suceder. Un mes más tarde, concretamente el 17 de agosto, se difundió como la pólvora una noticia explosiva. Otro submarino alemán acababa de rendirse de nuevo. El comunicado decía: «El sumergible alemán se encuentra ya fondeado en el puerto de Mar del Plata, es el *U-997*. Su tripulación se compone de treinta y dos hombres, de los cuales cuatro con oficiales. El comandante es el teniente de fragata Heinz Schaeffer».

Aparentemente el nuevo submarino buscaba el mismo destino final que el *U-530*, pero fue capturado en alta mar por un rastreador de la armada argentina que estaba realizando misiones de patrullaje en la zona. De acuerdo con la documentación encontrada a bordo, el sumergible zarpó también de Kiel el 13 de abril, de Oslo (Noruega) el día 22, y de Kristiansand (Dinamarca) el 2 de mayo. Continuó viaje en incursión sumergida por la zona vigilada del Atlántico, pasando

Heinz Schaeffer, capitán del submarino nazi U-Boot 997.

entre las Islas Fëroe e Islandia, dirigiéndose al Sur rumbo a las Islas Canarias. A partir de ahí navegó en superficie siguiendo hasta la costa brasileña y llegar a Mar del Plata. Se encontraba en perfecto estado y poseía instrumentos modernos para la época, como un equipo de hundimiento simulado consistente en cajas con sustancias químicas que, una vez arrojadas, producían burbujas dando la sensación de que la nave estaba hundiéndose.

Había permanecido un total de casi cinco meses navegando en solitario. Para que nos hagamos una idea de lo que significa eso, el *U-977* permaneció sumergido 66 días —posible récord mundial de inmersión para un submarino convencional hasta nuestros días— cargando baterías y ventilando el interior mediante el *Snorkel*. Es difícil imaginar las penurias físicas y psíquicas de un grupo de hombres encerrados por tanto tiempo, en un reducido espacio y sin poder ver el cielo. Mucho le costaría seguramente a su joven comandante (25 años) mantener la disciplina y el orden.

Pero había algo interesante en su travesía. En la costa Noruega, antes de partir hacia su lejano destino final, desembarcaron del submarino 16 hombres casados. Eran suboficiales que en su mayor parte tenían familia en Alemania. Quizás esa decisión tenía relación con el tipo de misión que deberían desempeñar en su destino final. O quizás ni el mismo Schaeffer supiera el motivo de esa decisión y no hizo más que cumplir las órdenes que recibió por radio desde Berlín.

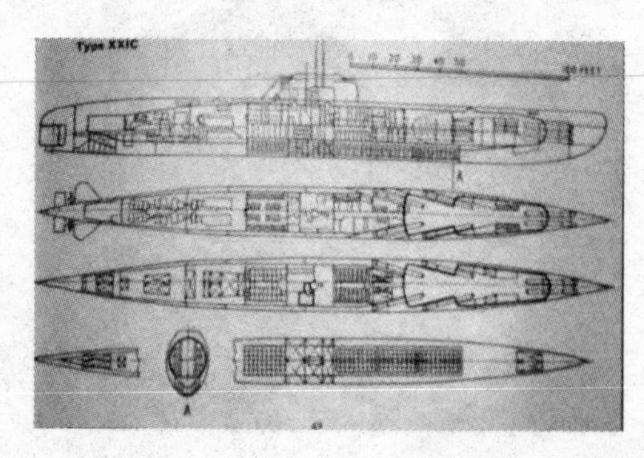

Los submarinos alemanes de la clase XXI *eran tan avanzados para su época que solo pudieron ser igualados en los años sesenta.*

12.2. Convoy invisible hacia lo desconocido

Empezaba a ser evidente que los dos sumergibles aparecidos tenían más bien la apariencia de ser meros transportes submarinos, y que seguían una ruta en convoy con más submarinos acompañándoles. Esto quedó claro cuando llegaron las noticias de un tercer submarino del supuesto convoy. Se trataba de un sumergible nazi procedente de Noruega, que apareció frente a Leixoes en Portugal el 4 de junio de 1945. La tripulación de esta nave también estaba sobrecargada con 47 hombres que tampoco sobrepasaban los 25 años. En este caso la rendición se produjo por problemas en sus maquinas.

Así pues, pudieron haber sido más los submarinos que habían zarpado de Alemania con identidades verdaderas o falsas, poco antes del derrumbe total del III Reich, y emprender viaje con una misión desconocida. Tal y como se supo más adelante, el comandante Wermoutt y el capitán Schaeffer no podían revelar nada de la naturaleza de su misión, porque la ignoraban. No sabían a quién seguían o escoltaban, ni hacia dónde. Habían recibido órdenes superiores de seguir una determinada ruta hacia el Atlántico Sur y navegar siempre bajo la superficie.

Igual que a los demás integrantes del convoy, se les prohibió terminantemente comunicarse por radio entre sí, a fin de evitar que revelaran su presencia al enemigo. Debían de seguir a un sumergible insignia, tan de cerca como les fuera posible y únicamente por los audífonos.

Aquella serpiente subacuática de avanzados submarinos de guerra alemanes constituía un verdadero convoy fantasma, ciego, mudo e invisible. Estaba guiado por la única nave que conocía la ruta y el destino final. Ese submarino maestro que guiaba a los demás no era una nave cualquiera. Probablemente se trataba de los nuevos submarinos experimentales nazis de la clase XXI. Esos ingenios estaban veinte años por delante de la tecnología naval conocida entonces.

Efectivamente, a finales de la guerra, los nazis habían desarrollado un submarino excepcional, construido en forma modular sobre la base de piezas que eran como una especie de rodajas ensambladas. Eran los *U-Boot* clase *XXI*. Tenían características que los hacían únicos en el mundo. Una vez sumergidos alcanzaban mayor velocidad que en superficie y, gracias a un sistema revolucionario de *Snorkel-Walter*, podían permanecer casi ilimitadamente bajo el agua. Su tecnología era tan avanzada que los americanos solo lograron copiarla y duplicarla para sus submarinos nucleares en los años sesenta.

Ahora bien, lo interesante es que se construyeron en Kiel unas 120 unidades, de los cuales solo entraron en combate unos diez. Otros diez no llegaron a botarse y se quedaron en las cadenas de ensamblaje. Hasta hoy en día nadie sabe dónde se encuentra el centenar restante, que aparentemente desapareció sin que ningún buque o avión aliado lograra hundir alguno de ellos. La existencia real de esos submarinos, que fue puesta en duda por muchos historiadores, se comprobó por las autoridades aliadas a través de la documentación de los registros del material de construcción, y por las piezas y fotografías encontradas. Además, uno de esos sumergibles que fue hundido por su propia tripulación, ha sido recuperado por la armada alemana, pudiendo ser actualmente admirado en la ciudad de Kiel.

Pero volvamos a nuestro convoy fantasma. El contacto que les unía era muy débil. Cualquier tempestad fuerte podía separarlos, lo mismo que algún desperfecto en las maquinas. La posibilidad de perder varias unidades durante la travesía eran elevadísimas, aun así no era un problema porque no podrían revelar el secreto último de su misión, o quiénes eran los importantes personajes que probablemente viajaban en el submarino insignia. Eso explica por qué el *U-530* y el *U-977*, al quedar separados del convoy, merodearon durante tanto tiempo en la zona antes de tomar la decisión de rendirse a las autoridades locales. Además, como les estaba prohibido el uso de la radio, no se enteraron de la capitulación del Reich hasta mucho después de quedar separados del convoy.

¿Hacia dónde se dirigía el convoy fantasma? ¿En que recóndito lugar se hallaba aquel paraíso terrenal, fortaleza inexpugnable construida por la flota submarina alemana de la que se hizo eco el almirante Doenitz en 1943? En numerosas ocasiones circularon rumores acerca de que los submarinos alemanes, en sus correrías por los mares, habían descubierto alguna isla desconocida, y que la misma fue convertida luego en un refugio para el *Führer* o bien para altos jerarcas nazis. Probablemente el único archipiélago de las islas donde podrían esconderse fuera el que se encuentra frente a las costas de Chile. Sin ir más lejos, hace unos pocos años saltó a la prensa chilena y española la existencia de una misteriosa isla cercana a la costa chilena, donde supuestamente vivía una colonia de nazis con una tecnología extraordinariamente desarrollada. La hipotética isla se denomina *Friendship*.

Pero la verdad es que en la década de los cuarenta solo las regiones polares y la mayor parte de la selva amazónica eran territorios realmente inexplorados por el hombre, y capaces de servir de refugio a importantes nazis fugados. Incluidos los que probablemente iban en el convoy fantasma. Veamos pues, a donde nos conducen estas dos posibilidades.

A finales de los años setenta se publica en Alemania un interesante libro, *La Crónica de Akakor*. En él se cuenta la existencia de la tribu *Mogulala*, una de las decenas de etnias desconocidas de la cuenca del Amazonas. Esa tribu, que viviría en una ciudad pétrea perdida, tomaría contacto con la civilización en 1936, cuando atacaron un poblado de colonos blancos a orillas del alto Río Negro, cuyos habitantes, yendo en busca de oro, habían violado tumbas de una tribu aliada. Mataron a los hombres y se llevaron a las mujeres; una de ellas era una religiosa alemana que ellos llamaban "Reinha".

Ese mismo año, y usando una ruta secreta a través de la selva venezolana, "Reinha" logra llegar de nuevo a Alemania. Allí, mediante la embajada brasileña, logra hablar con personajes importantes del nazismo que evidentemente se interesaron por la historia que la religiosa tenía que contarles.

Finalmente, el ejército decidió que les proporcionaría armas automáticas, artillería ligera, etc., después de lo cual llegarían soldados para adiestrarlos en su manejo. La idea era que con su ayuda atacarían las ciudades de la amazonia, Manaos, Santarem, y otras, mientras que los nazis desembarcarían en la costa. Después de la previsible victoria nazi, se repartirían Brasil. La amazonia para los indios, y la poblada zona costera para los alemanes.

Ya en 1941 el ministro de Asuntos Exteriores brasileño, Oswaldo Aranha, se lo advertía al embajador americano: «Estamos convencidos de que la *Wehrmacht* tratará de ocupar Iberoamérica, y todas las razones geoestratégicas hacen sospechar que la invasión comenzara por Brasil». El 15 de agosto de 1942 los *U-Boot*s alemanes torpedearon al buque brasileño *Baendepi* y al día siguiente hicieron lo mismo con el carguero *Araquara*, lo que provocó que seis días más tarde Brasil declarara la guerra al III Reich. Según *La Crónica de Akakor*, los soldados alemanes siguieron llegando a la inexplorada zona amazónica de los *Mogulala* hasta 1945.

Cuando el régimen nazi decidió no seguir con el plan de invasión de Brasil, el contingente de soldados quedó atrapado en la selva. La mayor parte se adaptaron a sus costumbres y se quedaron a vivir permanentemente en la ciudad pétrea.

Evidentemente muchos dieron por falsa la historia. Ahora bien, desde el punto de vista operativo el transporte de algunos soldados a través del Amazonas no es tan complicado. Sin ir más lejos, hoy en día barcos fluviales llevan turistas de Belem a Manaos como parte del programa ofrecido por varias agencias de viajes. En 1938, un submarino alemán en misión que se calificó de geográfica, llegó hasta la misma Manaos. Esto formaría también parte de la "leyenda" si no fuera porque, al igual que la misteriosa expedición al Tíbet, la aventura fue filmada. Hace unos veinte años se exhibió la película original en la República Democrática Alemana. En la sala se encontraban unos cuantos periodistas. Efectivamente, en el documental se mostraba la partida de soldados nazis en un submarino equipado con hidroplanos, a los que luego se veía montando toda una compleja base en la selva.

La historia había tomado visos de verosimilitud. De hecho, en una revuelta entre tribus de la zona sucedida en 1963 algunos observadores aseguraron haber hablado con nativos blancos y de marcados rasgos europeos. Estos indígenas además de portugués hablaban ¡alemán! Quizás algún submarino del convoy fantasma había intentado llegar a la zona segura, donde vivía la extraña tribu. Para ello solo debería haber remontado el curso alto del Amazonas.

O quizás pudiera ser que los nazis hubieran construido un "refugio inexpugnable". Hay rumores, no confirmados, de que en la desembocadura del Amazonas fue apresado un submarino de la clase *XXI*. Según esa información, se hallaba en dificultades y con una tripulación de jóvenes poco expertos.

12.3. Un refugio inexpugnable bajo los hielos

Sin embargo, el rumbo seguido por el misterioso convoy de submarinos, parecía apuntar en otra dirección, parecía dirigirse hacia el sur del globo terráqueo. Y si no era la Patagonia, solo quedaba un destino final.

El continente antártico alcanza una superficie de 14 millones de kilómetros cuadrados. El sexto continente, como es llamado a veces la Antártida, podría contener en su interior a todo Estados Unidos y le sobraría terreno. Si alguien colocara una base submarina o subterránea en su seno, sería virtualmente imposible encontrarla por tierra. Rastrear palmo a palmo sus llanuras, valles y montañas cubiertas de hielo y nieve es aún hoy imposible.

Es sabido que en su mayor parte esta inmensa superficie de hielo está formada por una altiplanicie que se eleva lentamente hacia el Polo. Se supone que es una continuación fragmentada de la cordillera de los Andes. Pues bien, en ese macizo rocoso hay imponentes cadenas montañosas de 5.500 metros de altura. Algunas de esas cadenas son las más importantes de la Tierra, extendiéndose a lo largo de miles de kilómetros. Y sin embargo, de muchas de ellas no sabemos absolutamente nada, pues solo se las ha podido observar por satélite o desde aviones.

Sin embargo y paradójicamente, es una zona geotérmicamente activa, pudiéndose encontrar en ella volcanes. En 1840 el explorador ingles James Ross, intentando llegar al Polo Norte magnético, descubrió dos formidables volcanes a los que bautizó como Erebus y Terror. El primero de ellos está aún en actividad, lo que hace que se puedan encontrar zonas de aguas templadas. La temperatura en la Antártida es de aproximadamente 0 grados en los meses de verano, y suele descender a los 28 bajo cero en invierno, aunque las condiciones del viento reinante pueden hacer bajar el termómetro hasta los 50 o 60 bajo cero.

En cuanto a la imagen típica de que es imposible sobrevivir en el continente helado, no es cierta. Precisamente la historia de las expediciones antárticas realizadas en el siglo XX es la prueba más elocuente de que un grupo determinado de personas puede vivir durante años enteros en esas regiones. Los miembros de la primera expedición de Shackleton, cuyo costo no llegó a alcanzar la irrisoria suma de 45.000 libras esterlinas, vivieron casi durante dos años en la Antártida con relativa comodidad entre 1907 y 1909. Ninguno de ellos enfermó seriamente, e incluso en la cabaña de madera improvisada que tenían montaron una imprenta de donde salió su curioso libro *Aurora Australis*.

Posteriormente, en la década de los treinta y cuarenta, las aparatosas expediciones del almirante americano Richard E. Byrd eclipsaron a todas las anteriores, llevando la comodidad de los equipos modernos y de las nuevas tecnologías a las costas del continente blanco. Con sus aparatos de radio, tractores, aviones e incluso autogiros, los miembros del equipo estaban a salvo de las inclemencias del tiempo. Hasta el punto de que fundó una base permanente, la *Little América*. Todo un pueblo en pleno corazón antártico con un teatro incluido.

Hoy en día, la base *Amundsen-Scott* que los Estados Unidos han instalado en el mismo Polo Sur geográfico, funciona de modo permanente. Dispone de aire acondicionado, salas, cocinas espaciosas, baños, capilla, oficina de correos y hasta un cine. Los edificios son prefabricados y se lanzaron en piezas mediante globos para su construcción. Se tardó tan solo cuatro semanas en levantar el complejo, que también dispone de laboratorios, central térmica y central eléctrica. Las diferentes partes de la base se comunican entre sí, a través de un intrincado laberinto de corredores excavados en el hielo. Potentes ventiladores permiten mantener en el interior de las construcciones, que apenas sobresalen de la nieve, una temperatura uniforme. Es una base subterránea.

Queda claro que los nazis podrían haber hecho lo mismo, puesto que su tecnología al finalizar la guerra, como hemos comprobado, estaba décadas por delante de la de los aliados. Lo sorprendente es que quizás habían empezado antes que los americanos.

Hoy se sabe que hubo una discreta expedición alemana, puesto que no se publicitó excesivamente en los medios de comunicación de la época. De hecho, ni siquiera avisó de su partida a las diferentes sociedades científicas de la época. Fue a finales de 1938, y regresó al año siguiente, causando una gran sorpresa mundial debido al silencio absoluto que cubrió sus actividades, desde el comienzo hasta la terminación de las mismas.

«Cumplí órdenes del mariscal Goering», declaró el capitán Alfred Ritscher al regresar a Hamburgo a bordo del *Schwabeland*, el 12 de abril de 1939. Cinco meses más tarde se iniciaba la Guerra Mundial y, evidentemente, el III Reich estaba buscando localizaciones seguras para sus bases en el sur. La declaración del jefe de la expedición antártica nazi no dejaba lugar a dudas.

Más que un barco común, el buque a motor *Schwabeland* era un auténtico portaaviones. La nave era propiedad de la compañía aérea *Lufthansa*, que lo puso a disposición de sus expedicionarios con los aviones y el correspondiente personal técnico a bordo. Usando la catapulta como medio de lanzamiento, la expedición del capitán Ritscher pudo usar sus aviones (dos anfibios de diez toneladas cada uno).

Una parte de la tripulación de los aviones tenía ya experiencia en vuelos polares, lo que facilitó enormemente los realizados sobre el continente Antártico, cuyo fin era acumular suficiente material gráfico con el que confeccionar mapas perfectos de las regiones recorridas. Los aviones estaban equipados con aparatos fotográficos especialmente construidos por la casa *Zeiss*.

En una de las pocas declaraciones de Ritscher a la prensa, dijo lo siguiente: «Es la primera vez que aviones alemanes volaban sobre el continente antártico, en condiciones por lo demás difíciles, acuatizaron en las heladas costas polares para izar el pabellón indicativo de la soberanía alemana. Los aviones arrojaban cada 25 kilómetros pilotes con la bandera del *Reich*, como también se marcaban los puntos extremos de cada vuelo. Se ha descubierto una región de 600.000 kilómetros cuadrados de los cuales, 350.000 han sido fotografiados en tal forma que es posible confeccionar un mapa perfecto de la zona descubierta». Así mismo también habló de unas cordilleras de 4.000 metros de altura que habían sido delimitadas por los aviones nazis. Todo ese territorio quedó bautizado como *New Schwabeland* (Nueva Suevia).

Los miembros de la expedición del *Schwabeland* estaban cuidadosamente seleccionados. Biólogos, geógrafos, oceanógrafos, geofísicos, fotógrafos profesionales y meteorólogos formaban la heterogénea plantilla de aventureros que estaban explorando una nueva *terra incógnita*. Se sabe que incluso llegaron a realizar sondas radiológicos a una altura de

24.800 mts. en busca de radioactividad. Los alemanes habían hecho un trabajo de exploración casi perfecto en aquella región antártica situada al sudeste de las Islas Malvinas. A su regreso a Alemania, Ritscher fue condecorado personalmente por Hitler, al tiempo que le puso al tanto de lo descubierto.

Con el comienzo de la guerra los nazis no se olvidaron de sus conquistas antárticas, muy al contrario, siguieron usando las zonas exploradas para plantar una serie de bases o emplazamientos secretos a lo largo del borde antártico. Cuando la actividad de esa zona durante la guerra decreció a mediados de 1940, esas bases se convirtieron en depósitos donde se acumulo todo el material necesario para construir un refugio en el interior del continente. Víveres, combustibles, ropas y otros elementos eran transportados por los *U-Boot*s alemanes.

Hipotéticamente esa fortaleza debió construirse en tres años. Para entonces, en 1943, el almirante Doenitz hizo su famosa y enigmática declaración elogiando los trabajos de la flota submarina nazi. Hoy sabemos que en agosto de 1940, el doctor Wohlwill, director del *Deutsche Reichsinstitut fuer Metallen* (Instituto Alemán del Reich para el Metal) hizo un llamado a los técnicos alemanes especializados en metalurgia, para preparar proyectos de construcción a partir de meta-

El Schwabeland, *barco de investigación que capitaneó la secreta expedición nazi a la Antártida.*

les no ferruginosos destinados a soportar temperaturas inferiores a ¡60 grados bajo cero! Desde luego no era para las frías estepas rusas. ¿En qué otro lugar del planeta, que no sea la Antártida, podía hacer falta ese tipo de aleación?

Si todo ello resulta cierto, los técnicos del III Reich tendrían más de cuatro años para construir y acondicionar un refugio amplio y dotado de las mayores comodidades para un numeroso grupo de personas. Incluso pudieron haber excavado alguna oquedad en una montaña de la zona que actualmente se llama Tierra de la Reina Maud. Un lugar difícilmente accesible al acabar la guerra y que sería hábilmente camuflado por las nieves eternas.

Sin embargo, al finalizar la guerra, nadie se acordaba de las expediciones nazis a la Antártida o de las bases allí usadas por los contendientes. Pero el caso de los submarinos alemanes recientemente encontrados en la costa argentina había reabierto la posibilidad. La gente y los periódicos hablaban de la increíble fuga de Hitler a la Antártida. Pasadas las primeras noticias sensacionalistas, y según fue pasando el tiempo, volvió a olvidarse el tema de nuevo. Pero un extraño suceso iba a reabrir la polémica.

12.4. Operación High Jump: la última batalla

El 26 de septiembre de 1946 sucedió algo que superó todas las expectativas y especulaciones que cualquier mente calenturienta y dada a la fantasía se pudiera imaginar. Los titulares de los periódicos no dejaban lugar a dudas: «A casi un año y medio de terminada la guerra, un submarino alemán detuvo, días pasados, a una barco ballenero islandés. Se trataba de una embarcación llamada *Juliana*, que navegaba entre las Islas Malvinas y la zona antártica, y fue detenida por un submarino de gran tonelaje de la armada alemana que enarbolaba una bandera roja con grandes franjas negras en los bordes.

El comandante del submarino se acercó en un bote de goma y, tras subir a bordo, exigió parte de las provisiones. Mientras estas eran transvasadas el comandante, que hablaba un perfecto ingles, pagó en dólares por la mercancía y entregó una prima a la tripulación. Además le indicó al capitán exactamente donde podrían encontrar grandes bancos de ballenas. Más tarde los tripulantes del *Juliana* pudieron arponear dos cetáceos donde el alemán les había indicado».

Es interesante señalar que el abordaje de la ballenera había tenido lugar entre las Islas Malvinas y la zona antártica, es decir; a unos 1.500 kilómetros al sur de Mar del Plata, exactamente sobre la prolongación de la ruta que habían seguido el *U-530* y el *U-977*.

La noticia era absolutamente asombrosa, pero la reacción que ese suceso produjo días después era aún más inquietante. Se anunció una expedición anglo-noruega de exploración a las tierras desconocidas del continente Austral. En el *Daily Telegraph* se decía: «Se espera que la expedición revelará los secretos del oasis libre de hielo y nieve que se encuentra en el interior del continente antártico. La existencia de este oasis montañoso, situado en aquella vasta zona inexplorada que es conocida bajo el nombre de Tierra de la Reina Maud, fue descubierta en 1939, poco antes de estallar la guerra, por una expedición nazi».

La misteriosa expedición alemana volvía a cobrar protagonismo. Además se hablaba del descubrimiento de zonas templadas. Pero la cosa no acabaría ahí.

El Departamento de la Marina americana informó que el almirante Richard Byrd, condecorado con la estrella de oro «por misiones secretas cumplidas durante la guerra», estaba organizando una increíble expedición a las regiones antárticas. En la Operación *High Jump* iban a participar numerosas unidades navales, entre ellas dos portaaviones, y también ¡unos 4.000 marines!

Todo un ejército americano se iba a colocar en medio de la blanca planicie antártica. En medio de la nada. ¿Para qué?

el almirante Byrd fue quien aclaró las dudas el mismo día de su partida desde la base naval de Norfolk, el 2 de diciembre de 1946. «La misión de esos cuatro mil soldados será la de explorar el último continente desconocido. Mi expedición es de carácter militar. Uno de los fines es obtener datos completos de las zonas terrestres visitadas, con propósitos estratégicos y de inteligencia, y sobre todo observar las actividades marítimas, aeronáuticas y terrestres de otras naciones en el antártico». Quizás todo el asunto girara alrededor de las construcciones y bases erigidas por los nazis desde los años treinta.

En caso de encontrarse con lo inesperado deberían no solo observar sino plantar cara a un supuesto enemigo. Y desde luego eso parecía que iban a hacer. El contingente desplazado era impresionante. La expedición partió de Estados Unidos con una nave capitana, el *Mount Olympus*. El buque madre de hidroaviones *Pine Island*, el rompehielos *North Wind* y el destructor *Brownsend*. Además, otros cuatro buques de guerra partieron simultáneamente de otro punto de la costa americana, y poco después recibieron órdenes de zarpar otros cinco barcos más, incluidos el portaaviones *Philippines Sea* y el submarino *Sennet*.

Aunque parezca increíble, semanas más tarde se une a la expedición americana barcos de hasta ocho naciones distin-

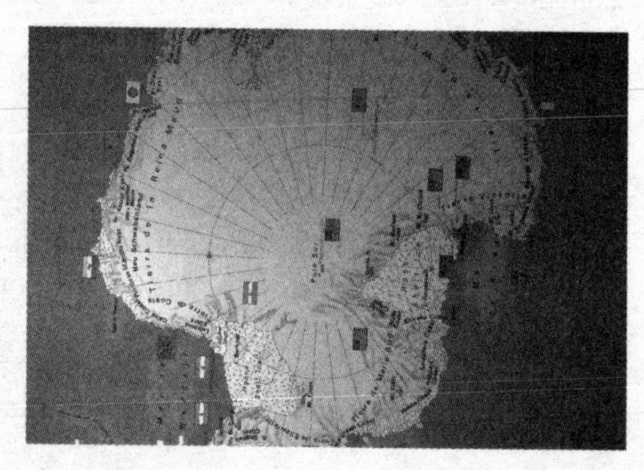

En la parte superior del mapa, se encuentra la zona de New Schwabeland, *bautizada así por la expedición nazi a la Antártida.*

tas. Incluso embarcaciones japonesas estaban colaborando finalmente. ¿Qué es lo que se buscaba en esos parajes tan inhóspitos? Pronto el continente helado estaba literalmente rodeado. Enjambres de aviones sobrevolaban sus tierras. Equipados con radares y localizadores termo magnéticos buscaban afanosamente algo.

Dos meses más tarde, el 12 de febrero, Byrd anunciaba que se había descubierto en la Antártida un «oasis de lagos con agua barrosa, de color verde oscuro. Dicha región lacustre, de unos 30 kilómetros de ancho y unos 65 de largo, está completamente desprovista de hielo y se encuentra a corta distancia de la isla de Knox». A partir de ahí algo ocurrió. La expedición, que en principio pretendía permanecer como mínimo nueve meses en la base americana, se clausuró abruptamente a las ocho semanas, abandonando inesperadamente la Antártida. En el camino y de forma nunca aclarada, habían perdido varios aviones y algunos efectivos.

Expedicionarios nazis sobre las llanuras inexploradas de la Antártida.

Aun más inquietante resultan las declaraciones efectuadas por Byrd a su regreso afirmando que «si estallase otra guerra mundial, esta sería de Polo a Polo...». Nadie supo jamás a qué se refería. ¿Había encontrado finalmente la base de submarinos nazi? ¿La habían destruido cumpliendo así su verdadera misión? ¿Quiénes podrían estar sobreviviendo en ella?

Desde entonces ha transcurrido más de medio siglo y, aparentemente, el objetivo de aquella pequeña «fuerza de invasión» se ha olvidado. Puede que algún soleado día del siglo XXI se den a conocer los documentos secretos que guarda el Departamento de Estado y los servicios de inteligencia americanos y, entonces, sepamos de una buena vez, qué ocurrió realmente en la Antártida durante y después de la Segunda Guerra Mundial. Quizás, solo quizás, el ejército del almirante Byrd había librado la última batalla de la guerra. Enfrentándose así al último batallón nazi en las gélidas tierras del Polo Sur.

Bibliografía

ANGEBERT, Jean Michel: *Hitler y la tradición cátara*, Ed. Plaza & Janés, Barcelona, 1972.

ANGEBERT, Jean Michel: *Los místicos del sol*, Ed. Plaza & Janés, Barcelona, 1974.

ARMENGOU, Josep: *El poder del ocultismo y las sociedades secretas*, Institut D´Estudis Historics, Barcelona, 1993.

BAEZA, Álvaro: *El oro del III Reich*, Ed. ABL Press, Madrid, 1997.

BEEVOR, Antony: *Berlín. La caída: 1945*, Ed. Crítica, Barcelona, 2003.

BLUM, Jean: *Cátaros: Su misterio y su mensaje*, Ed. EDAF, Madrid, 2002.

BRENON, Anne: *Los cátaros*, Ediciones B, Barcelona, 1998.

BUECHNER, Howard: *Emerald Cup*, Thunderbird Press, Louisiana, EE.UU., 1991.

BULLOCK, Allan: *Hitler, estudio de una tiranía*, Grijalbo, Barcelona, 1984.

CARBALLAL, Manuel: *Ovnis y pilotos*, Ed. Contrastes, Madrid, 1995.

DABROWSKI, Hans-Peter: *Lippisch P13a & Experimental DM-1*, Ed. Schiffer, Atglen, EE.UU., 1993.

DE CLERK, Phillip: *La Gestapo*, M. E. Editores, Barcelona, 1998.

DRESSEL, Joachim: *Natter and other german rocket fighter proyects*, Ed. Schiffer, Atglen, EE.UU., 1994.

ENGELMANN, Joachim: *V1 The flying bomb*, Ed. Schiffer, Atglen, EE.UU., 1992.

ENGELMANN, Joachim: *V2 Dawn of the rocket age*, Ed. Schiffer, Atglen, EE.UU., 1990.

FARAGO, Ladislas: *Le IV Reich*, Ed. France Loisirs, Paris, 1974.

G. PAPE, J. & D. Campbell: *The flying wings of Jack Northrop*, Ed. Schiffer, Atglen, EE.UU., 1994.

GARDNER, Laurence: *La herencia del Santo Grial*, Ed. Grijalbo, Barcelona, 1999.

GEHLEN, Reinhard: *Servicio secreto*, Ed. Noguer, Barcelona, 1972.

GRIEHL, Manfred: *Messerschmitt Me 262 Vol. II, Ed. Schiffer,* Pennsylvania, EE.UU., 1992.

HITLER, Adolf: *Mi lucha*, M. E. Editores, Madrid, 1994.

JAVALOYS, Joaquín: *El Grial secreto de los cátaros*, Ed. EDAF, Madrid, 2001.

LEDUC, Jean Pierre: *Los cátaros*, Ed. Círculo Latino, Barcelona, 2002.

LOUIS PAWELLS, Jacques Bergier: *El retorno de los brujos*, Ed. Plaza & Janés, Barcelona, 1961.

MABIRE, Jean: *Thule, el sol reencontrado de los hiperbóreos*, Col. Iskander, Ed. Hiperbórea, 1995.

MAÑEZ, Francisco: *El informe Northrop*, Ed. Tetragrama, Valencia, 1997.

MAÑEZ, Francisco: *Historias aeronáuticas*, Ed. Tetragrama, Valencia, 1999.

MAYDA, Giuseppe: *Nuremberg 1946-1966*, Ed. Plaza & Janés, Barcelona, 1968.

MYHRA, David: *Sänger Germany´s orbital rocket bomber in WWII*, Schiffer Military History, Atglen, EE.UU., 2002.

MYHRA, David: *Secret aircraft designs of the Third Reich*, Schiffer Military History, Atglen, EE.UU., 1998.

MYHRA, David: *The Horten brothers and their All-Wing aircraft*, Schiffer Military History, Atglen, EE.UU., 1998.

NOWARA, Heinz: *German Helicopters 1928-1945*, Ed. Schiffer Pennsylvania, EE.UU., 1990.

NOWARA, Heinz: *German guided missiles*, Ed. Schiffer, Atglen, EE.UU., 1993.

NUNO DE ATAIDE: *Os Ovnis do III Reich*, Ediçoes Ultimo Reduto., Lisboa, 1993.

PENNICK, Nigel: *Las ciencias secretas de Hitler,* Ed. EDAF, Madrid, 1984.

RAHN, Otto: *Cruzada contra el Grial*, Ed. Hiperión, Madrid, 1982.

RAHN, Otto: *La corte de Lucifer*, Ed. Rigal, Zaragoza, 1993.

RAUSCHNING, Hermann: *Hitler me dijo*, Ed. Atlas, Madrid, 1946.

RAVENSCROFT, Trevor: *El pacto satánico*, Ed. Robin Book, Barcelona, 1991.

REIMAR HORTEN, Peter Selinger: *Nurflügel*, Ed. Weishaupt Verlag, Wolfsberg, Austria, 1993.

ROBBINS, Victoria: *La muerte de Hitle*r, M. E. Editores, Madrid, 1996.

ROBIN, Jean: *Hitler, el elegido del dragón*, Ed. Martínez Roca, Barcelona, 1991.

ROMAÑA, José Miguel: *Nazismo enigmático*, Seuba Ediciones, Barcelona, 1996.

SCOTT, Carter: *El enigma del Santo Grial*, M. E. Editores, Madrid, 1998.

SERRANO, Miguel: *El cordón dorado*, Ed. Solar, Bogotá, Colombia, 1994.

SERRANO, Miguel: *El último avatara*, Ed. Solar, Bogotá, Colombia, 1987.

SERRANO, Miguel: *Ni por mar ni por tierra*, Ed. Kier, Buenos Aires, Argentina, 1979.

SOLAR, David: *El último día de Hitler*, Ed. Espasa Calpe, Madrid, 1995.

SOLÍS, José Antonio: *Nazis en Egipto*, Ed. El arca de papel, La Coruña, 2002.

STEINER, Rudolf: *El nuevo orden social*, Ed. Kier, Buenos Aires, Argentina, 1983.

SZABO, Ladislao: *Hitler está vivo*, Col. Excalibur (Vol. XXV), Barcelona, 1995.

TREVOR-ROPER, Hugh: *Los últimos días de Hitler*, Ed. Alba, Barcelona, 2000.

RENATO VESCO & DAVID CHILDRESS: *Man made Ufos 1944-1994*, AUP Publishers Network, Illinois, EE.UU., 1994.

WAGNER, Richard: *Parsifal (libreto)*, Edicomunicación, Barcelona, 1998.

WILSON, Colin: *Rudolf Steiner, el hombre y su visión*, Urano, Barcelona, 1986.

WILLIAMSON, Gordon: *Las SS, instrumentos de terror de Hitler*, Ed. Ágata, Madrid, 1995.

WULFF, Wilhelm: *Zodiac and Swastika*, Coward, McCann & Geoghegan, New York, EE.UU., 1973.

ZENTNER, Kurt: *El III Reich (I-NSDAP)*, Ed. Bruguera, Barcelona, 1975.

ZIEGLER, Mano: *Messerschmitt Me 163 Komet*, Ed. Schiffer, Atglen, EE.UU., 1990.

Contactos

El autor atenderá gustoso cualquier sugerencia, comentario o indicación que usted pueda aportar, sobre este u otros temas similares, en las siguientes direcciones:

E-mail: **jlesta@redestb.es** & **jlesta@eresmas.net**
Apartado de correos: **1.244, C.P. 15.080, La Coruña**